リユース《再使用》革命!

「使わない」モノは
「今すぐ」売りなさい

ウリドキ株式会社代表取締役
木暮 康雄

GENTOSHA 幻冬舎

リユース革命　目次

第5章 日本人をリユースマーケットに向かわせるインセンティブは何か

第8章 ECサイト「全巻読破ドットコム」スタート

第11章 リユース市場を盛り上げるプロ集団たち

装丁 小松学(ZUGA)
DTP 美創
本文扉写真 iStock
編集協力 中村実(編集企画シーエーティー)
髙山伸夫(髙山広告編集所)

はじめに

いきなりだが、みなさん、まずはこの問いの答えを考えてみてほしい。

問1

日本で1年間に生まれる不要品をリユース市場に出したときの価値はいくらになるだろうか?

答

約7・6兆円

（経済産業省（2018）「平成29年度 我が国におけるデータ駆動型社会に係る基盤整備（電子商取引に関する市場調査）」https://www.meti.go.jp/policy/it_policy/statistics/outlook/h29reportv3.pdf）

約7・6兆円の市場規模を1万円札を積み上げて表現すると、76㎞もの距離になる。

また、日本政府が決定した2019年度の一般会計補正予算案を見ると、財政支出の中の、国費と呼ばれる額がまさに7・6兆円だ。いかに大きな数字かということがわかっていただけると思う。

問2

国内リユース市場の
1年間の流通金額は
いくらになるだろうか？

答

約2兆円（2017年時点）

（リサイクル通信「データでみるリユース市場　最新版2019」　https://www.recycle-tsushin.com/news/detail_3619.php）

2017年の市場規模は前年比12・3％増の1兆9932億円。2ケタの市場成長を実現した。

「リサイクル通信」では将来予測をアップデートし、2020年には、約2兆6000億円、2022年には約3兆円規模に拡大するとしている（新型コロナウイルス禍前の予測）。

問3

日本で1年以内に
モノを売ったことがある人は
何%いるだろうか?

答

約40%

（環境省「平成30年度　リユース市場規模調査報告書」2019年7月　https://www.env.go.jp/recycle/H30_reuse_research_report_all.pdf）

環境省が調査した「リユース品の購入経験・売却経験」をもとに計算すると、1年以内にモノを売ったことがある人は、2009年で38・7%、2012年で42・3%、2015年で39・5%、2018年で33・6%である。実はモノを売っている人の割合はここ10年ほぼ変わりなく、むしろ直近のデータでは下がっている。

問4

日本の各家庭に眠っている
リユース品の総額はいくらだろうか？

答

約37兆円

（みんなのかくれ資産調査委員会調べ（監修：ニッセイ基礎研究所、データ提供：メルカリ）2018年11月　https://www.nli-research.co.jp/files/user/report/researchers_eye/2018/eye181107-1_1.pdf）

この数字は、国民1人当たりに換算すると28万1277円となり、平均月収と同等の水準だ。かくれ資産を構成している3大要素は服飾雑貨に書籍とCD。1世帯当たりで見ると、平均69万4099円ものかくれ資産が眠っていることになる。ボーナスの年間支給額に迫る金額だ。最もかくれ資産が多いのは60代以上の女性で、その額、1人当たり49万7856円ということだ。この数字は10代の約3・5倍になる。

以上、日本におけるリユース品の状況は、次のようにまとめることができる。

- ☑ **年間約7・6兆円のリユース品が生み出されている。**
- ☑ **しかし、年間に流通しているリユース品は2兆円ほどに留まっている。**
- ☑ **実際にモノを売っている人は年間40％程度に過ぎない。**
- ☑ **その結果、貯まってしまっているリユース品の累計総額は約37兆円にも上る。**

この数字が意味するところは何か。私たちがモノを売らずにいるだけで、これだけのリユース資産がどんどん貯まっていってしまっているということだ。

そしてこの数字は毎年積み重なっていく……。

日本は世界でも有数の「リユース大国」

日本国内のリユース市場は、2017年に2兆円近くの規模になっている。

2020年には、約2兆6000億円、2022年には約3兆円規模に拡大すると予測されている（「リサイクル通信」が2009年を最初の調査対象年として8年連続調査してきた最新推計額。2018年対象の調査結果が出れば、市場規模推計も変動する。また、新型コロナウイルス禍がリユース市場に与える影響については、執筆の時点では不明である)。

日本は今、リユースバブルの真っ只中にいるといってもいい。前述の推計では、2009年から8年連続、市場規模は拡大し続けている。

やがてこのリユース市場の拡大は、モノの流通や消費活動のありようを変えてしまう「リユース革命」へと発展していくだろう。今、私たちはその過程の中にいるのだ。

この「リユース革命」は、サーキュラー・エコノミーやSDGsといった、循環型経済を指向する世界的な潮流の一環だと捉えることができる。

これから詳しく見ていくが、**実は日本は、世界からリユース大国として認識されている**。その日本で起きているリユース市場の拡大は、一体何をもたらすのか。具体的には、どのような変化が起ころうとしているのか。「リユース革命」は社会をどのように変えていくのか。

本書では、まず日本や海外のリユース市場を概観し、そこから見えてくる未来社会のあり方を考えてみたい。この革命は、すでにあなたの足元で始まっているのだ。

みなさん、「メルカリ」を利用されたことがあるだろうか。株式会社メルカリが2013年に始めた、個人間でモノを売買するためのプラットフォームだ。
家にある今は使わなくなったモノがスマホのアプリ上でどんどん売買される様子を、ニュースなどで見たことがある人も多くいるかもしれない。

メルカリのスマホアプリは、世界中で1億ダウンロード（２０１７年12月16日時点。https://about.mercari.com/press/news/article/100million_downloads/）もされ、毎月、日本国内に限っても１３５０万人を超えるユーザーが取り引きを行い、サービス開始からの累計取り引き件数は5億件を超えている（２０１９年９月18日時点。https://about.mercari.com/press/news/article/mercari_500million/）。
累計の出品数（２０１８年）は10億品を超える数となっている（「フリマアプリ『メルカリ』累計出品数が10億品を突破」https://about.mercari.com/press/news/article/20180719_billionitems/）。

メルカリに代表されるフリマアプリによる個人間取り引きサービス、C2C（Consumer to Consumer）のＥＣビジネスは、２０１８年の時点で６３９２億円（前年４８３５億円、前年比32・2％増）もの市場規模に急拡大しており、フリマアプリが初めて登場した２０１２年からわずか6年で巨大市場が形成されたことになる。

『人生がときめく片づけの魔法』（サンマーク出版）を出版し、アメリカ・ネットフリックス（NetFlix）で配信された「KonMari ～人生がときめく片づけの魔法～」が大ヒットした近藤麻理恵さんの存在も大いに話題になっている。

家に眠るいらないモノを「スパーク・ジョイ」というキーワードで峻別し片づけていくその様子が全米の心を摑んだのだ。

彼女は２０１５年にタイム誌によって「世界で最も影響力のある１００人」にも選ばれている。

これらの現象は根底で繋がっている。一つは、

図表1 フリマアプリの推定市場規模

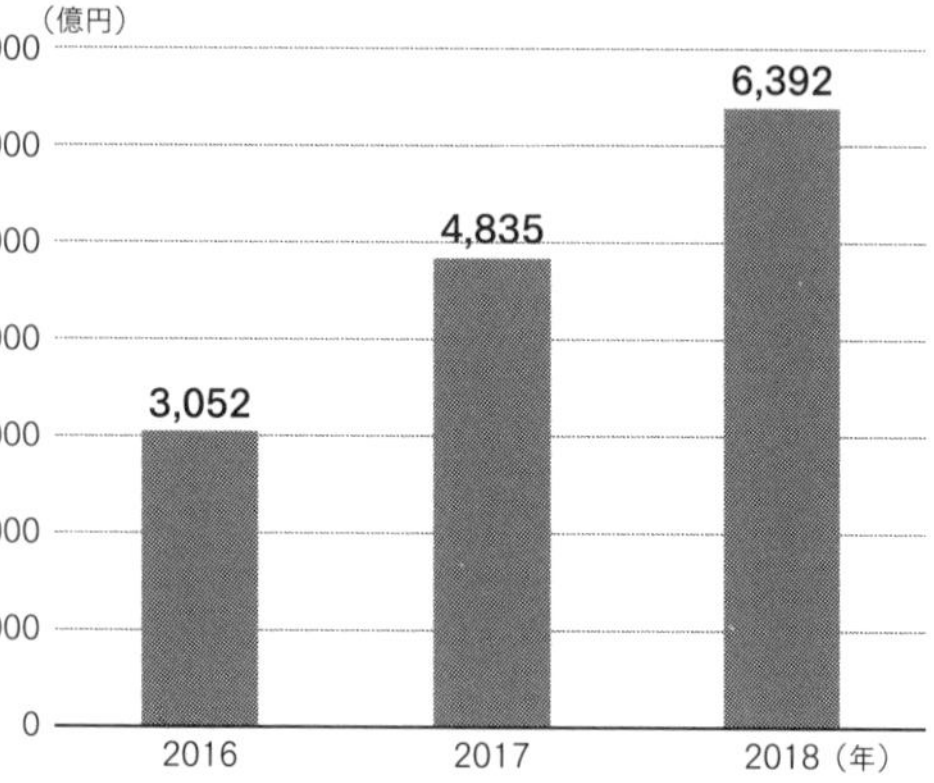

出所：経済産業省「電子商取引に関する市場調査」2019

人々が家の中にある、使われていないモノに目を向けるようになったこと。そして、そういったモノにも価値があることを知ったことだ。「メルカリ」はその個人間売買の場をつくり、KonMariは結果的にモノを掘り起こすことに貢献している。

さて、日本を訪れる人は、今や2000万人（2019年1月~7月累計1962万人。日本政府観光局）になろうとしている。そのすべての人が観光目的で日本を訪れるわけではない。では、観光以外の目的で訪れる人たちは、日本に何を求めているのだろうか。

東京・御徒町。そこは日本で唯一の宝飾問屋街である。

そこに中国人をはじめとした外国人たちが集まってきている。バブル期に日本で購入された良質の宝飾品が中古市場に出回っていることに目をつけて、店頭で、あるいはオークションに参加するなどして、個人、業者を問わず爆買いしていくのだ。

千葉県では、中古重機のオークションに外国人が集まっているという。

その目的は「ユーズド・イン・ジャパン」の重機を手に入れることだ。メンテナンスがちゃんとされていて、修理がしやすく、安いというのがその理由だ。

ここで注目すべきは**「ユーズド・イン・ジャパン」がブランドになっている**ということだ。「日本でつくられたモノ」「日本で使われたモノ」「日本でメンテナンスをされたモノ」。それが大きな評価を得ている。だからこそ、外国からそれを求めて人が集まっているのだ。

ここで、私がどのようにしてリユース市場に関わるようになり、その可能性に気づいたのか。簡単な自己紹介も兼ねて、少し振り返ってみることにしよう。

1981年、私は産婦人科医の一人息子として東京で生まれ、その後、神奈川県横浜市で育った。私立の小学校に通い、挨拶は「ごきげんよう」。端的にいえば、何不自由なく親の愛情をたっぷりと受けて育ったといえる。

横浜の高台に建つ大きな家に住んでいた子どもの頃のことが、私のしあわせの記憶の基本である。

父は仕事で信頼の厚い人だったが、やがて1991年から1993年にかけて起こったバブル崩壊という時代の波がわが家にも襲ってくることになる。

私たち一家は、横浜の家を手放し、地方を転々としながら暮らすことになった。当時の私には、当然のことながら、まったく事情はわからなかった。

私はある地方の中高一貫校に在学していたのだが、どうしても横浜に戻りたくて、吐き気をもよおすほどに猛勉強をし、横浜の高校に合格した。

受験勉強に集中していた頃。実は、他にも夢中になっていたものがあった。パソコンである。その頃、パソコンはようやく電話回線と繋がることが一般的になってきていて、回線の向こうの見えない他者、知らない世界へと通じていた。ネットワーク上にも現実世界のような街がある。そんな感覚に無性に興奮したものだ。

横浜に戻ってくることができたものの、そこで初めて父から事情を聞かされ、かつての暮らしには戻れないことを知る。あまりにショックで頭の中が真っ白になった。

父は仕事熱心で周りから頼られるような存在だったにもかかわらず、バブル経済の高揚感の中で、さまざまなものを失ってしまっていた。

なぜ、そのようなことが起こるのか。

私はそのときから、経済の不思議について考えるようになった。いや、もう少しカジュアルにいえば、お金とは何かについて考えるようになった。

そして、私は二つのアプローチでそのことを知ろうと思った。

一つは、ビジネスの実践者として経済活動の中に身を置くこと。

もう一つは、アカデミックなアプローチで経済のありようを研究・分析することだ。

大学時代に仲間と起業して始めたビジネスが「全巻読破ドットコム」である。漫画の全巻を揃え、1セットにして売るというビジネスだ。そのビジネスを通して、漫画家の先生、買い取り業者、出版社や取次会社の方など、さまざまな人たちと繋がり、ユーザーのニーズにも応えることができていった。

ただ、そのビジネスが大きくなるにつれて、中学時代にワクワクした、ネットワークの向こうに街をつくるという野望をときどき思い出した。

これまで人は、道をつくり、橋を架け、災害対策を施し、移動手段を発展させ、暮らしを豊かにしてきた。

やがて世界はネットワークで繋がり、そこに現実世界からさまざまな概念が移植され、あるいは新しい概念が生まれ、暮らしはますます豊かになった。

時代ごとに使うツールは異なっていても、新しい世代がデジタル技術を使ってやろうとしていることも、暮らしを豊かにしようとするアプローチであることに違いはない。そう考えたときに、やるべきことは世の中の役に立つプラットフォームをつくり上げることだという思いがふつふつと湧き上がってきたのである。

その思いを実現しようと立ち上げたのが、**リユースのC2B（Consumer to Business）プラットフォーム「ウリドキ」**である。

ユーザーにとっては、中古市場における価格の透明化、買い取り業者にとっては商品調達コストの削減・効率化。そんなメリットをもった中古品のオンライン版「なんでも鑑定団」。それがウリドキというプラットフォームである。

中古品の資産価値に注目が集まる中、公平なプラットフォーマーになるために、全巻読破ドットコムを手放し、今、私はウリドキの経営に専念している。

日本の良質な中古品をもう一度市場に出し、公明正大な売買ができるようにする。そのことによって、モノが動き、価値が移動し、経済が循環する。このことが日本の活力を取り戻す原動力ともなり、世界的な課題である環境問題にも貢献する。

それが私の思い描くより良い街の姿だ。この街の姿をアップデートし続けていきたいと思っている。


さて、アカデミックな視点で経済を考えるというもう一つのアプローチ。学生時代に起業したことで、実業の世界にいち早く触れることができたメリットはあったのだが、それは同時に、目の前の課題にのめり込む近視眼的なものになりがちだったことも確かだ。

何せ初めての起業。のめり込まざるを得ないのだ。そこを一歩引いて、俯瞰的に理解を進めていくためにはどうしても学びの場が必要だった。

そこで私は慶應義塾大学大学院システムデザイン・マネジメント研究科に進み、システムデザイン・マネジメントを学ぶことにした。

ウリドキがアウトプットの場だとすれば、大学院での研究はインプットの場である。

アカデミックな場に身を置くと、途端に視野が開けるようなことがある。自分のまったく知らない角度からトピックスが出てきたり、そもそも分野の異なる研究者と出会ったりすることは非常に刺激的だ。横断的にさまざまな知識に触れ、視野が広がり知識が深まっていく実感が得られる。これがビジネスに生きないわけがない。

私の大学院での研究は「起業家行動を促す指針と手法の提案――ベンチャー企業の成長過程に潜む『日本型死の谷』の克服支援――」というものだ。

今でもビジネスの傍ら、ベンチャービジネスのありようを研究している。

ここにきて加わった、大きなファクターについても触れないわけにはいかない。新型コロナウイルスによる社会の変容である。このグローバルな禍《わざわい》は、現在進行形のリユース革命にどのような影響を及ぼすのだろうか。

ボーダーレスに繋がる世界経済は、それゆえに新型コロナウイルス禍を猛烈な勢いで広め、世界の主要都市で都市封鎖や緊急事態宣言が出され、人々の動きが厳しく制限される事態となった。

いつ収束するのか、未だ終わりの見えないウイルスの猛威に備えるため、私たちにはリアルな接触をできるだけ避ける新しい生活様式が求められ、ワクチンや治療薬が開発されるまでの間、これまでと同様の経済活動は難しいかもしれない。

そんな中、非対面で取り引きを済ますことができる宅配買い取りの需要が伸びている。その傾向も含め、今後のトレンドをにらみながら、リユース市場の実情を見ていくことにしよう。

そして、リユース経済が新しい時代の新しい街づくりに、どのように貢献していくのか、その可能性を探っていこうと思う。

第1章 リユース革命によって、所有の未来が変わる!

この章では、私が考えるそう遠くない未来の物語をお届けする。これからお話しするリユースのさまざまな世界を読み解く上でも、少しだけお付き合いいただきたい。

2030年、日本の人口は1億1000万人ほど。外国人労働者も約400万人と労働者全体の比率で5%を超えている。リニア中央新幹線も開通し、品川―名古屋間はわずか40分しかかからない……。

さあ、明日も出張だ。

私はいつもの通り、ＡＩコンシェルジュに話しかける。

「ナンシー、明日、名古屋13時着で、移動と宿の手配をお願い」

もちろん、ナンシーという秘書がいるわけではなく、ＡＩコンシェルジュに私が名前をつけて話しかけているだけだ。でも、本当に人格があるのではないかと思うほど、ＡＩコンシェルジュはよくできている。モノとして扱う気にはとてもならない。

「時間優先で考えますか。それともコストが大事ですか」

「そうだな、移動時間が短いほうがいい。ホテルは少しゆったりできるところを取ってくれ」

「了解しました。手配します」

タブレットをいじって待っていると、ナンシーが早速結果を知らせてくれる。

「今回は、リニア新幹線で移動します。11時50分発、リニア7号・10号車です。品川駅ホーム売店で軽食とコーヒーを受け取ってください。名古屋着は12時30分。先方へゆとりをもって向かえる時間です。ホテルは１２３リゾートを予約しました。温泉が素晴らしいと評判です」

「ありがとう」

「明日の朝、最寄りの駅までタクシーを手配しますか」

「頼む」

「タクシーを手配しました。10時30分にはマンション入り口で待機している予定です」

「了解」

「一連の移動スケジュールを、カレンダーに反映し、リマインダーをセットしました。お支払い総額を会社の口座から一括で処理します」

ナンシーは本当に優秀だ。いつも出張の段取りは任せてしまうので、その他のことに時間を使うことができる。

さてと、明日の会議の資料は準備できているので、着ていくものを考えるか。

クローゼットを開けると、アラートが点滅しているハンガーがある。これはここのところ着ていない服があるという合図だ。タグに埋め込まれたマイクロチップによって、今や洋服もIoT化されている。IoT（Internet of Things：モノのインターネット）とは、あらゆるモノにインターネットを接続・連携する技術のことだ。クローゼットのセンサーと連動して、アイテム個々の出入りの回数がカウントされ、しばらく着ていないとアラートが点滅する仕組みになっている。私の場合、過去1年間クローゼットから出入りしていないアイテムがあると点滅するように設定されている。

あらゆるモノがIoT技術で結びつけられているというのは、ある意味、自分の生活が〝見える化〟されるということでもある。よく使うモノ、ある程度の頻度で使うモノ、買ったきりほとんど使っていないモノ、まったく使っていない未使用のモノ。自分とモノとの関係が可視化される。そして、あらゆる人の所有するモノがＩｏＴ化されると、それはもう〝開かれた所有〟とでもいうべきものになる。モノとしては自宅のクローゼットの中に確かにあるのだけれど、そのモノの情報はその価値とともにネットワーク上に公開されている状態になる。

春はどことなくそわそわする。街中が新しいことが始まる予感で落ち着かない感じだ。

クローゼットの中でアラートが点滅していたハンガーを取り出すと、それは数年前に購入した冬物のジャケットだった。少しばかり着丈が長くて、なんとなく時代の気分にそぐわなくなってしまったものだった。

「よし、この際、点滅しているものはすべて売りに出そう」

ナンシーにジャケットを差し出して言う。

「ナンシー、クローゼットの中の不要品を今売りに出したら総額でいくらになるか、見積もってくれ」

「了解しました」

しばらくすると結果が出た。

「現在、いくつかの業者がつけている査定額を計算すると、合計は６万２６００円になります」

「OK。じゃ、ディールして」

私は、すぐに先ほど手に取ったジャケットをはじめ、クローゼットの中で点滅するアイテムを回収BOXに入れた。そして今度はIoT化された鏡である〝スマートミラー〟の前に立ち、春物のジャケットを選び始める。過去の履歴からブルー系が好みだという私の傾向が出ているので、スマートミラーはそれに合致したジャケットをオススメしてくる。

私は、スマートミラーの中で次々とバーチャルな試着を済ませていく。そうこうしていると、ナンシーから報告が入る。

「売買が成立しました。遅くとも16時までには回収BOXをドローンが受け取りに来ます。売り上げはどうしますか」

「今から買う春物のジャケット購入資金に充てるので、チャージしておいて」

「了解しました。

ちなみにこの春の流行色は、グリーンやオレンジです。どこかに採り入れるとオシャレかもしれませんね」

「なるほど。ありがとう」

ならばネイビーのジャケットにオレンジのタイを締めるか。スマートミラーでいろいろ試してお気に入りの組み合わせを探す。ネイビーのストライプジャケットにビビッドなオレンジタイを挿すか。いや、カジュアルすぎるな。

「もう少しビジネス寄りの組み合わせを見せて」とオファーを出す。

すると瞬時にスマートミラーの中のラインナップが変わった。オススメの★マークがついているものは、一見ノーマルなネイビーのジャケットに見えるが、よく見ると裏地のステッチがオレンジだ。そしてシンプルなオレンジのハンカチが新たにオススメされている。自分の姿に当てて、裏地を見せたり、袖口を確認してみる。バーチャルにハンカチを持ってみたりする。よし、これで決まりだ。購入ボタンにタッチして終了。

私はこうやっていつも洋服を入れ替え、かつ、必要最小限のモノだけを手元に置くようにしている。クローゼットの中には、本当に好きなモノしか入っていない。それでも使う頻度が落ちたり、着なくなってしまう服があるのだが。ただ、たくさんのアイテムをクローゼットに仕舞い込んでいることは豊かさでも何でもなく、ただ不要品を抱えているようなものだと思う。欲しいモノを必要な期間だけ手元に置く。あとは外部ネットワークから見つけ出してくればいいのだ。モノをやわらかに所有すると、暮らしに物質から解放されたような軽やかさが生まれる。スッキリとした自分の部屋を見回して、私はあらためてそんなことを考えた。

第2章 そもそもリユースとは何か

前章で描いたのは、ドローンなどがもたらす物流革命、AIやビッグデータが明らかにする価値の〝見える化〟、そしてあらゆるモノとIT技術が結びついたIoTといったリユーステックがつくり出す、そう遠くない未来の世界だ。

ただ、こういう社会をつくり出すためには、いくつかのステップが必要である。それを見ていく前に、ここでいったん立ち止まって、かんたんに「リユース」とは何かを確認しておこう。

そのために「リサイクル」「リデュース」「リユース」のいわゆる〝3R〟についても、その歴史を見ていくことにする。

質屋はリユース・ビジネスの原点？

今となっては、あまり馴染みのない人も多いかもしれないが、ずっと以前から現在のリユース・ビジネスに繋がっていく商売があった。「質屋」である。

質屋とはどんなビジネスなのか。端的にいえば、モノを担保にお金を融資する金融業である。

一方で、日本においては、質屋は消費者金融といった貸金業に属するのではなく、質屋営業法に基づいて許可されている業態である。この法律で、質屋は次のように定義されている。

「第一条　この法律において『質屋営業』とは、物品（有価証券を含む。以下同じ。）を質に取り、流質期限までに当該質物で担保される債権の弁済を受けないときは、当該質物をもつてその弁済に充てる約款を附して、金銭を貸し付ける営業をいう」

質屋は一般的に、宝石や貴金属、楽器やオーディオ機器、コンピューターやゲーム機器、テレビやカメラ、時計など、比較的高価なモノを質草として受け入れ、利用者は、それらを担保にお金を借りるという仕組みだ。

定められた期間内に借入金と利息を払えば、預けたモノは手元に戻ってくる。

期限までに弁済が行われなかった場合は、担保に入れていたモノが質屋によって他の顧客に売却される。これが「質流れ」である。

質屋は、利用者の信用情報を扱うわけではない。あくまでもモノを担保にして貸し付ける。貸し付けが焦げつけば、担保の物品を売却して取り戻す仕組みであるがゆえ、盗品などを換金してしまうことになる可能性もあり、結果的に質屋が犯罪行為を助長してしまうリスクがないともいえない。

それを考慮して、質屋には営業所ごとに、その所在地を管轄する都道府県公安委員会の許可が必要だとされている。

ここでは、質屋の目利きの役割に注目しておきたい。利用者がモノを持ち込んだ時点で、モノの状態、市場価値を見極めて貸し付けの限度を決めるのが目利きの役割だ。ときには、馴染みの客の人格を見極めることもあるだろう。窮地を救ってあげようという親心も働いたかもしれない。それでも大事なのは**持ち込まれたモノの価値を正確に見極める**という点だ。つまり、身の丈に応じた借金ができる場所なのである。

日本における質屋の歴史は、鎌倉時代以前に遡るといわれている。

質屋は金貸、無尽《むじん》（鎌倉時代に登場したといわれる。庶民の相互扶助として始まったとされる金融手段）とともに古くからある金融機関であり、鎌倉時代以前から今日にいたるまで存続している。

世界でも古くから存在する質屋

質屋はなにも日本に限った商売ではない。

古代ギリシアやローマ帝国でも存在していたといわれているし、中国にも今日と変わらない質屋が仏教の僧院に存在していたという。

ヨーロッパでは、1462年、イタリアの僧侶バルナバが、キリスト教に基づく利子禁止法のもとで、高利貸しを行っていたユダヤ人を抑制するため、ペルージアに慈善的質屋を設立したことが始まりだとされている。

貧しい人たちを高利貸しから守るための、公益性をもった質屋が生まれたのだ。

その後、この公益質屋は16〜19世紀にかけてベルギー、フランス、オランダ、ドイツ、スペイン、オーストリアなどヨーロッパ各国に普及していく。

他方、私営の質屋も、ブルジョア革命後に獲得された営業の自由を背景に、ドイツ、オーストリア、イギリスで発達し、やがてそれがアメリカに伝わっていく。

『質屋の世界：イギリス社会史の一側面』（ケネス・ハドソン著、北川信也訳、リブロポート、1985年）によれば、ポーンブローカー（Pawnbroker）と呼ばれたイギリスにおける質屋の歴史は、

（1）諸侯・貴族への融資機関であった工業化以前の時代
（2）下層民衆の生活費融通機関として繁栄した産業革命期から戦間期の時代
（3）中産階級向けの消費者信用機関として脱皮を迫られる第二次世界大戦後の時代
に分けられるという。

その中でも中心的に語られるのは、中世から近世にかけてである。

この時代、質屋は教会からの蔑視や悪徳商人という世評に悩まされたらしく、法によって何度も営業規制をかけられる存在だった。

ただ庶民にとってはなくてはならない存在であったことは確かで、**19世紀初頭にはイギリス国内に1500以上の質屋が営まれていた**という記録がある。

著者によれば、都市下層労働者は「夜になると毛布を請け出すために石炭を質入れし、朝になると石炭を請け出すために毛布を質入れするような行動」を繰り返していたという。

つまり質屋の存在は暮らしの一部、生活スタイルと化していたのである。

そのように、社会的な存在意義があったにもかかわらず、社会から冷たい目で見られていた質屋業界は、社会的なイメージの向上のために業界団体を結成し、内部規範を徹底することで自らの地位を守っていこうとする。

しかし、それでも利用者は、どれだけ質屋に助けられようとも質屋通いを強く恥じてこっそり質に入れにいくことに変わりはなかった。

必要不可欠でありながら、必要としていることを知られたくない。そんな庶民感情が質屋を複雑な立場にしていた。

そうした感情は世界共通のものだろう。日本でも、小説や映画に登場する質屋というのは、貧しさを描くためのシーン、あるいはそこで起こる人間模様にフォーカスを当てる場であって、質屋ビジネスの合理的な側面に注目するものではなかった。

イギリスの質屋のエピソードとして、前述の著書から少しばかりユニークなものを紹介しよう。

19~20世紀の頃、イギリス人は必要な金銭を工面するためだけに質屋を利用していたわけではなかった。

質屋の保管機能をうまく利用していた人たちがいたのだ。

富裕層は旅に出る際、保険をかけるより安いという理由で貴重品を質に入れて金庫代わりに使っていた(質草には質屋が保険をかけていた)。

戦地に赴く兵士たちも持ち物を質に入れていた。

駅で荷物を預けられないとき、質屋を利用する人たちもいたという。

これらは、質屋が単なる金貸し業ではなく、モノと深く結びついていたことの証左だと見ることもできるかもしれない。

ときに保管のために使われ、ときに保険を間接的にかけるために利用された。

質屋とは、目利き、それに基づく融資の決定、物品の保管管理などから成り立つ、モノと金銭を循環させる業務だということができる。

循環型社会を目指すキーワード。それがリサイクル

リサイクルショップは質屋の流れの中にあると捉えられる。スマホアプリによるC2C取引きに押され店舗数が減少しているとはいえ、株式を上場する大手も存在している。

主な大手の中で、沿革を見ると最も古いのが**1979年に創業したコメ兵**である。ブックオフなどその他の大手は1980年代、1990年代に創業しているところが多い。

リサイクルは、歴史的に環境問題の一つのソリューションとして歩んできた概念である。リサイクルショップが創業する時代に、リサイクルの概念はどのように生まれ、発展していったのか。その状況を見てみる。

1973年10月から12月にかけて起こった第一次オイルショック（原油の供給逼迫による原油価格の高騰、それによる世界の経済混乱）をきっかけとして、1974年3月に設立された

市民団体が「リサイクル運動市民の会」と名乗り、日本で最初にリサイクルという言葉を使ったとされている。

ちなみにその名付け親は、航空工学や宇宙工学が専門で、ペンシルロケットを開発した「ロケット博士」、元東京大学教授の糸川英夫氏だといわれている。

コメ兵が誕生する5年前。リサイクルはリサイタルやサイクリングなどと間違われるほど、馴染みのない言葉だった。

その年、アメリカではウォーターゲート事件が発覚しニクソン大統領が辞任、日本では田中角栄首相が報道された金脈問題で退陣。日本赤軍がシンガポールやオランダで事件を起こし、国内では三菱重工業爆破事件が起きた、そんな時代だ。

セブン‐イレブン第1号店がオープンしたのもこの年。社会の先行きが不透明で、『ノストラダムスの大予言』がベストセラーになるなどした。

この時代の日本は、高度経済成長によって増加した人々の所得を背景に、家電の急速な普及、スーパーマーケットやコンビニエンスストアといった販売や消費スタイルの変化などにより、大量生産・大量消費型の経済が進展し、生産者側からも、消費者側からも多様なゴミが増加した。

このタイミングで問題視されていたのは、公害であり、廃棄物処理であり、その対策をいかにとるかということだった。

そんな時代の中で、糸川氏がリサイクルという言葉を用いたのは、その視点がいかに先進的だったかということを指し示している。

コメ兵は戦後の切実な衣料ニーズを満たすことからスタートし、高度経済成長期の日本人の生活水準の向上とともに宝飾品、カメラ、時計と取り扱い品目を増やし、やがて家電品を含むあらゆるモノを取り扱うようになった。

「**いらんモノはコメ兵へ売ろう**」というキャッチフレーズは、名古屋では知らない人がいないほどに浸透した。

やがてバブル期へ向かっていく中で、循環型社会の構築が模索され、政府の施策の重点もゴミの排出量そのものの抑制へと移行していく。

1990年以降、再生利用を一層推進していくため、各種リサイクル法も制定される。

さらに、2000年には、大量生産・大量消費・大量廃棄型の経済システムから脱却し、3R＝発生抑制（Reduce）、再使用（Reuse）、再生利用（Recycle）の実施と廃棄物の適正処分が確保される循環型社会の形成を推進するために、「循環型社会形成推進基本法」（循環基本法）が成立。

循環型社会とは、第二条で次のように定義されている。

（定義）

第二条　この法律において「循環型社会」とは、製品等が廃棄物等となることが抑制され、並びに製品等が循環資源となった場合においてはこれについて適正に循環的な利用が行われることが促進され、及び循環的な利用が行われない循環資源については適正な処分（廃棄物（ごみ、粗大ごみ、燃え殻、汚泥、ふん尿、廃油、廃酸、廃アルカリ、動物の死体その他の汚物又は不要物であって、固形状又は液状のものをいう。以下同じ。）としての処分をいう。以下同じ。）が確保され、もって天然資源の消費を抑制し、環境への負荷ができる限り低減される社会をいう。

リサイクルという取り組みは、環境負荷を減らすために再資源化するという側面が大きい。一度、製品化されてしまったものから有用なものを資源として取り出し、新たな製品として生まれ変わらせるということだ。

延期されてしまった２０２０年の東京オリンピック・パラリンピックに必要な約５０００個の金・銀・銅メダルを、都市鉱山から発掘したリサイクル金属でつくる国民参画型プロジェクト「みんなのメダルプロジェクト」などもリサイクル活動の一環だ。

キャッチフレーズは「日本にしか、つくれないメダルを。～使わなくなった小型家電をリサイクルでメダルへ」。

オリンピック・パラリンピックという世界が注目するイベントだからこそだろう、このプロジェクトは目標を100％達成している。

全国参加自治体（1621自治体）による回収（携帯電話を含む小型家電回収）は約7万8985トン。NTTドコモによる回収（ドコモショップ約2300店舗にて、携帯電話を回収）は約621万台。最終的には、金／約32kg、銀／約3500kg、銅／約2200kgが集まり、リサイクルされた。

あるいはもっと日常的なものでいえば、ペットボトルはリサイクルの優等生ということができる。PETボトルリサイクル推進協議会によれば、2018年度のリサイクル率は84・6％。国内33万4000トン、海外19万5000トンのペットボトルがリサイクルに回っている。

いっとき、ペットボトルの再資源化によってつくられることが広く認知され、冬場に欠かせない素材として台頭したフリース素材。が、しかし、現在ではペットボトルから再資源化された原料を用いているのはパタゴニアなどの高級ブランドのみで、大半は石油からダイレクトに素材がつくられている。

これは何を意味するのか。

再資源化には多くのコストがかかるということだ。ユーザーでもある消費者は、リサイクルのために無造作に要らないモノを捨てるわけにはいかなくなる。どんなモノでも素材の種類を確認し、燃えないゴミ、燃えるゴミ、ビン、缶、ガラス、プラスチック、PETなどと分類し、曜日を確認して出さなければいけないなど、個人にかかる負荷も小さくはない。収集もゴミの分別に対応したオペレーションが必要になり、リサイクル施設では資源の純度を高めるためにさらに選別し、洗浄するコストもかかる。そうして再資源化できたものは、コストを回収し利益を生むために割高で販売せざるを得ないことは致し方ないともいえる。

そうしたリサイクル素材を使った製品が、無理なく人々に受け入れられるようになれば話は変わってくる。しかし、残念ながら、環境のために人々が無理をして割高なモノを購入することなどはないのが現状だろう。

「みんなのメダルプロジェクト」は、営利を目的としていないからこそ成り立った。それは姿勢の表明であり、一つのメッセージとして達成されたといえるだろう。

つまり、私たちには、リサイクルの前にやるべきことがあるということになる。それが3つのRのうちの、発生抑制（Reduce）と再使用（Reuse）である。

リデュースは人間の欲望との闘いである

アメリカ・ハワイ州オアフ島出身のミュージシャンでサーファー、環境活動家でもあるジャック・ジョンソンが２００６年に、『The 3R's』という歌をリリースした。一部分を引用しよう。

"The 3R's"　by Jack Johnson

We've got to learn to
Reduce, Reuse, Recycle
Reduce, Reuse, Recycle
Reduce, Reuse, Recycle
Reduce, Reuse, Recycle

If you're going to the market
to buy some juice
You've got to bring your own bags

and you learn to reduce your waste
We've got to learn to reduce

みんな学ばなくちゃ
リデュース、リユース、リサイクル
リデュース、リユース、リサイクル
リデュース、リユース、リサイクル
リデュース、リユース、リサイクル

ジュースを買いにマーケットに行くなら
マイバッグをもって
そうやって無駄を減らすことを学ぶんだ
僕たちは削減することを学ばなきゃいけないんだ

ジャック・ジョンソンが子どものために3Rの重要性を説いた歌だ。3Rの優先順位はリデュース（Reduce）、リユース（Reuse）、リサイクル（Recycle）である。

環境のためにとるべき行動の順番としては、所有を始める時点でまずリデュースを視野に入れる。そして製品を手放す際にはリユースを考え、最後にリサイクルに出そう、という順番なのだ。

ところが、**日本では最後に取り組むべきリサイクルが先行してしまっている。**

その結果、2013年に閣議決定された「第三次循環型社会形成推進基本計画」で政策の柱とされたのは、後れをとったリデュースとリユースの取り組み強化である。

ここではまず、リデュースに関して見ていこう。

リデュースは、たとえば製品をつくる際に使用する資源の量を少なくすること、製品の長寿命化を図ること、そのためのメンテナンス体制を整えること、そしてゴミの量を少なくすることなどを指している。

〝そもそも〟論的に製品のあり方を問うというフェーズだと理解すればいいだろう。製造にあたって必要以上に資源を使用していないだろうか。購入・消費の接点でできることはないのか。できるだけ長い間、製品が利用できるロングライフなものになっているか。それらを考慮に入れていった結果、最終的にゴミになる部分をできるだけ少なくできているか。

リデュースとは、ある意味、製品をつくる上で根本的な問いを投げかけ、解決していこうという姿勢だ。

リデュースの一つの側面、「資源を使わない製品づくり」という点では、リサイクルの優等生であるペットボトルを軽量化した取り組みが、例としてもわかりやすい。

2017年度の指定ペットボトルの削減効果量は18万1000トン、軽量化率23・9%を達成している。これは対前年比0・9ポイントの伸長にあたる。

ペットボトルの場合、プラスチックが厚すぎると硬くて潰しにくく、従来から薄肉化が進められていた。薄肉化はつまり強度確保とのせめぎ合いの取り組みだ。素材そのものの強度を高めるだけでなく、構造上の工夫によって容器の強度を高めることが必要になる。

つまり、この軽量化率は、外部からの変形応力、座屈変形、白化、亀裂に耐えうる強度を保持しつつ薄肉化を進め続けた結果だ。

飲料や調味料製品の一構成要素であるペットボトルを軽量化できれば、同じ数量の製品が売れても使われる資源は少なくなるというわけだ。

PETボトルリサイクル推進協議会が掲げる「第三次3R推進自主行動計画におけるリデュースの取り組み（2016年~2020年）」では、2004年度のボトル1本当たりの平均重量33・3gから、2020年度には24・4gまで軽量化することを目指すと定められている。

また別の側面である「モノに依存しない生活」の例として、レジ袋のリデュースがある。

レジ袋は、主に石油化学製品である。1970年代頃から紙袋の代わりに全国的に普及した。

現在、1人約150枚/年のレジ袋を使用しているという試算がある（2019年6月「我が国のレジ袋規制に関する動向」参議院常任委員会調査室・特別調査室、環境委員会調査室　中野かおり）。

レジ袋の原料であるポリエチレンは汚染物質を吸着しやすく、マイクロプラスチック化しやすいともいわれている。

2019年3月26日、「プラスチック資源循環戦略」のあり方について、環境省中央環境審議会の答申が行われた。それによれば「2030年までに、1ウェイのプラスチック（容器包装等）をこれまでの努力も含め累積で25％排出抑制する」ことが掲げられている。そのために、「レジ袋の有料化義務化（無料配布禁止等）」の方針が示され、2020年7月1日から施行されている。

そういう状況の中にあって、レジ袋の辞退率が2019年3月には54・63％を超えたというデータもある（日本チェーンストア協会『循環型経済社会の構築』に関する取り組み」に掲載されている「レジ袋辞退率の推移」）。

リデュースには、一度手にした利便性を手放す痛みが付随している。人間の欲を抑えるような態度が必要なのだ。

レジ袋の有料化ということでいえば、エコバッグを購入し持ち歩かなければいけない労力をとるか、数円とはいえレジ袋を買い求めるかしなければいけない。いずれにしても何かしらのコストを負担しなければいけないのだが、そのリターンは直接的ではなく、環境保全、資源保護といった日々の暮らしからは遠い大きなお題目のためだというのだから、なかなか難しい。

だからこそ、ジャック・ジョンソンは教育が大事だと、子どもに向けて早くから意識づけを行うこの歌を歌ったに違いない。

約1万人の雇用創出効果に相当するリユース効果

いよいよ本書の主題であるリユース(Reuse)について触れていこう。

リユースは、文字通り〝**再び使う**〟ということだ。使って不要になったモノを、捨てずにそのままの形で使うこと。製品そのものが形を変えないので、そこに新たな環境負荷やコストはかからない。

不要品をリサイクルショップに売ること、不要になったモノを譲ること、バザーやフリーマーケットでの売買は、リユースの取り組み例だ。

リユースと消費者の接点は、買い取り業者に売りに出す、フリマアプリで個人間売買をする、あるいは地域のネットワークの中で譲り合うといった行動が一般的だろう。つまり、不要品をリユースに出すということは、即座にインセンティブが生まれるということでもある。不要品が換金されるからだ。金銭の発生しない譲渡や交換でも（ベビー用品や子ども関連のモノを思い浮かべるといい）、相手からの感謝などを得ることができる。このことは、リサイクルやリデュースにない大きなポイントだ。

また、生産者や販売者が使用済みの製品や部品を回収し、修理や洗浄をした上で再び使うこともリユースである。最近利用が減ったとはいえ、リターナブルのビール瓶などが最も身近な例として思い浮かぶ。店舗に瓶を返却すれば1本につき5円の預り金が返却される仕組みだ。

個人であれ、企業であれリユースの取り組みは、製品そのものの使用年数が延びることに繋がり、リデュースの一翼を担うことになる。そしてもちろんゴミの削減にも役立ち、結果としてCO²の削減にも貢献する。

つまり**リユースは、3Rの中で唯一、アクションに対するインセンティブが用意されている**のだ。

環境への取り組みの入り口としてリユースほど効果的なアクションはない。人々はリユースというアクションでインセンティブを得る。その小さなアクションが集まり、大きな流れとなってリデュースにも繋がり、環境問題にも貢献することができる。

そうした大きな流れをつくっていくときに、モノが循環する「場」が大事になってくる。そうした場がなければ、リユースは成立しないからだ。経済的に見ても、製品がそのままの形でもう一度流通するためにはハブが必要になる。

ちなみに、ここでリユース市場という場合には、中古不動産、中古自動車は含まない。それらは、それぞれで一つの大きな市場を成しているからである。

質屋が何を扱っているのか、思い出していただきたい。宝石、貴金属、骨董品などだ。それに古本やゲームソフト、ゲーム機器、パソコンの類や、最近では酒類なども加わり、現代のリユース市場は構成されている。

環境省「平成22年度使用済製品等のリユース促進事業研究会報告書」が、製品ごとに新品のみの平均使用年数と、中古品を含めた全製品の平均使用年数を比べて、その差分を延長使用年数として推計している。そのデータによると、リユースというアクションが介在することで各製品の使用年数は、「冷蔵庫」で約0・6年、「デジカメ」「パソコン」「洗濯機」でも約0・3~0・4年も使用年数が延びるという結果が出ている。製品が退蔵（モノを使用することなく、しまい持っていること）されず、その多くが中古品として流通し市場が形成されれば、やがてリユース品で生活を組み立てていくことにも躊躇《ためら》いはなくなるだろう。

リユースを進めていくことは、地域社会にも大きなメリットをもたらす。

たとえば、その一つに「ゴミ処理費用の削減」が挙げられる。退蔵品がもう一度市場に出ることでゴミになるのを遅らせることになり、その分、ゴミの収集・処理にかかるコストの削減に繋がるわけだ。ちなみに、家庭や事業所から廃棄されたゴミは、税金によって市町村が収集・処理している。処理にかかるコストは市町村によって異なるが、ある自治体では、ゴミ１kg当たり54円のコストがかかると算出している。くわえて、環境省のデータによれば、２００９年度の日本のゴミ処理コストは、１年間で約１兆８０００億円もかかっており、これを１人が出すゴミの１日分の処理コストに換算すると平均約40円かかっていることになる。

リユースはさまざまな形で経済にインパクトを与える。リユースを促進すれば、新製品の生産を

図表2　家電製品の使用年数

製品名（%は中古品の保有率）	冷蔵庫 8.2%	デジカメ 6.9%	パソコン 9.1%	洗濯機 7.7%
リユースなし 社会全体の平均使用年数	11.6年	8.3年	6.3年	11.0年
リユースあり 社会全体の平均使用年数	12.2年（+0.6年）	8.6年（+0.3年）	6.7年（+0.4年）	11.3年（+0.3年）
長期的な廃棄物削減効果（万台／年）	23万台	19万台	100万台	12万台

環境省「平成22年度使用済製品等のリユース促進事業研究会報告書」より作成

抑制することに繋がるという側面を差し引いたとしても、余りある経済効果が期待できる。

ＥＵでは、採掘した資源を閉じたループの中で長期的に使用することを目指した「サーキュラー・エコノミー」（後述）への転換に注目が集まる中、使用済み製品を回収してリユースすることや、そのために製品のデザインの改良・長寿命化を進めることが、企業にとって競争優位性をもたらし、成長機会となるという認識が広がり始めている。

リユース市場は、当初予測されていた以上に加速度的に発展している。将来伸びる伸びるといわれていた予想を上回る勢いで伸びている。

２０２０年には２兆円規模に成長すると予測されていたものが、２０１７年にすでに１兆９０００億円を超えている。もう２兆円は目の前だ。

しかし、誰もが家に眠っているモノを市場に出しているというわけではない。退蔵されている割合が実に大きいのである。

リユースがどのような可能性をもっているのか。これまでに世界で認められてきた日本のビジネスを振り返りながら考えてみよう。

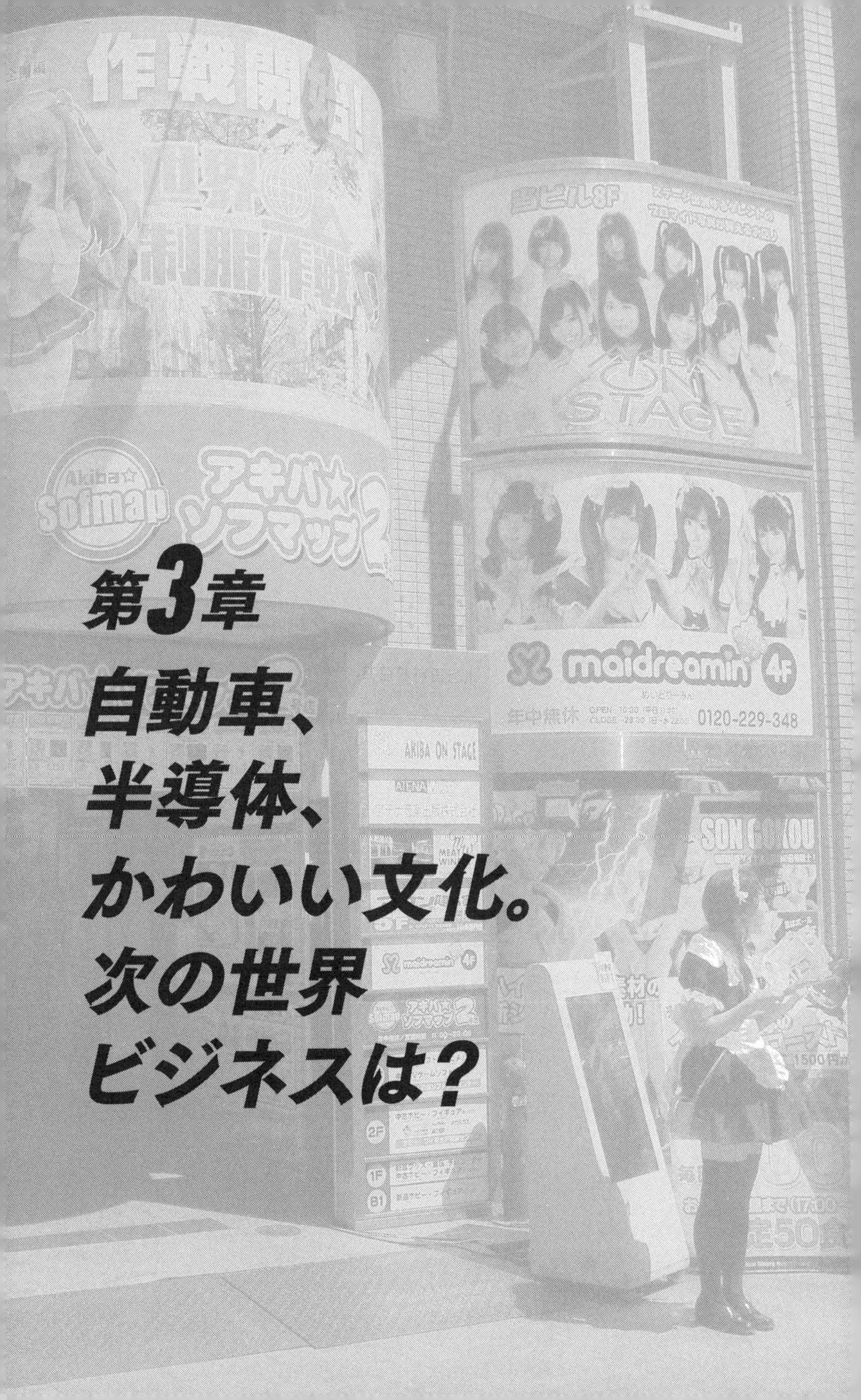

第3章

自動車、半導体、かわいい文化。次の世界ビジネスは？

世界を席巻した日本の小型車

かつて、日本が世界を席巻したビジネスを振り返ってみると、なんといってもまず、自動車産業の隆盛が挙げられるだろう。

1973年の晩秋、日本全国のスーパーの店頭からトイレットペーパーや洗剤が消え失せてしまった。そう、2020年新型コロナウイルス禍の日本でトイレットペーパーやマスク、消毒液が、一時期店頭から消えてしまったようにだ。同じような出来事が40年以上前にも起こっていた。オイルショック（石油危機）が人々をパニックに陥れたのだ。

石油が供給されなければ暮らしが立ち行かなくなるのではないか。そんな不安心理が人々を買いだめや買い占めに向かわせた。

そもそもオイルショックとは何だったのか。そのきっかけは、1973年10月に勃発した第4次中東戦争だった。

OPEC（石油輸出国機構）が原油の供給制限と輸出価格の大幅な引き上げを行った結果、1973年当初1バレル＝2ドル台だった石油が、1974年には1バレル＝11・6ドルにまで急上昇した。

それが発端となって、先進国を中心に世界中の経済が大きな混乱の渦の中に巻き込まれていった。

エネルギー資源の8割近くを輸入原油に頼っていた日本は直撃を受ける。ガソリンなどの石油関連製品が値上がりし、物価は瞬く間に上昇した。

それまで好調だった経済活動にブレーキがかかり、1974年度の日本経済は戦後初めてマイナス成長となり、高度経済成長期がついに終焉を迎えることとなった。

しかしなぜ原油価格が高騰したことで、トイレットペーパー・パニックが起こったのだろうか。

『通商産業政策史』（独立行政法人経済産業研究所）によると、この当時、紙パルプ産業では、溶かした紙の原料を乾かすために重油を使っていた。それゆえ、原油が手に入らなくなれば、トイレットペーパーがつくれなくなり、市場から消えてしまうのではないかという不安が蔓延した結果、買い占めが起こったのである。

この出来事は、世界中の人々に石油資源が有限で、できるだけ効率良く使わなければならないという意識を植えつけた。

もちろん政治的な側面もあるわけだが、石油がなければ経済が成り立たないということを思い知ったのである。その頃、原油は約30年で枯渇してしまうという試算が出されたりしていた。

また、モータリゼーションが急激に進んでいた結果、排気ガスによる環境汚染が問題化していた。

日本では、１９６８年に大気汚染防止法が成立し、アメリカでは１９７０年に、自動車の排出ガスの削減、二酸化硫黄排出量の削減、フロン、四塩化炭素の全廃を求める世界一厳しいとされたマスキー法（大気浄化法改正法）が制定された。

だが、欧米の自動車メーカーは達成不可能だとしてマスキー法を一斉に拒否。１９７４年にこの法律は廃案となってしまう。

そんな中、１９７２年に世界で唯一、ホンダがマスキー法をクリアす

図表3　原油確認埋蔵量と可採年数の推移

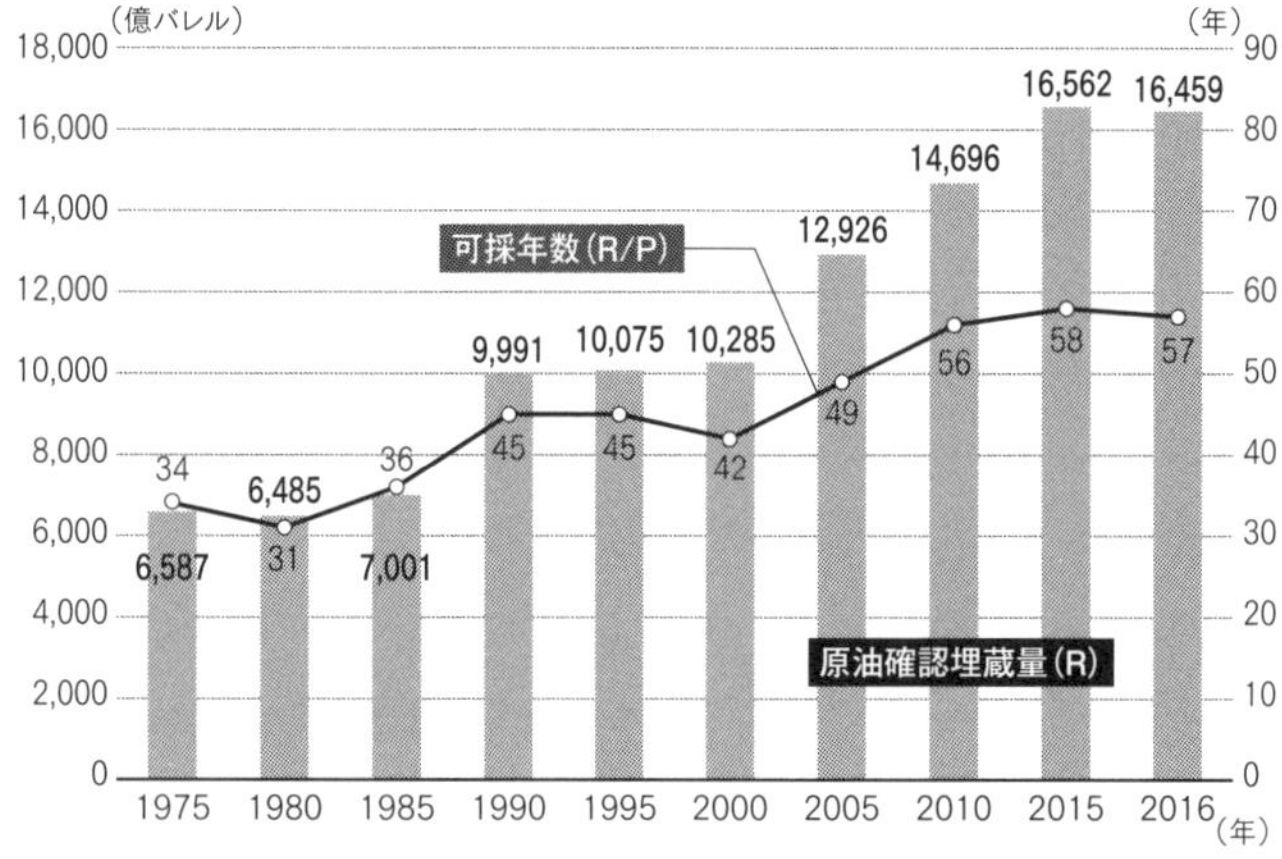

（単位：億バレル）

	1975	1980	1985	1990	1995	2000	2005	2010	2015	2016
年間原油生産量(P)	195	208	195	220	226	246	262	263	285	287

出所：石油連盟「今日の石油産業2017」

るＣＶＣＣエンジンを開発。世界に衝撃を与えた。

　まさにオイルショック前年のことだった。このことは大きなインパクトを残した。富とステータスのシンボルとして肥大化したアメリカ車に比べ、圧倒的に燃費のいい日本の小型自動車は、こうした背景を追い風に販売台数を伸ばしていき、アメリカへの自動車輸出が急増した。

　当時は現地生産ではなく、日本で製造した自動車を輸出していた。日本車にシェアを奪われたアメリカ自動車大手、いわゆるビッグスリー（ＧＭ、フォード、クライスラー）の業績が相次いで悪化し、生産の現場にリストラの嵐が吹き荒れた。

　その行き場のない怒りが、日本車をハン

1980（昭和55）年5月10日、アメリカ・ミシガン州で日本製乗用車にハンマーを振るう男性

写真提供：共同通信社

マーでたたき潰す「ジャパン・バッシング」のパフォーマンスとして表出した。

1980年には全米自動車労組（UAW）などが、急増する日本車に対する輸入制限を求めてアメリカ国際貿易委員会（ITC）へ提訴。

それでもその同じ年、日本の自動車生産はアメリカを抜いて世界一になる。


そもそも、日本がなぜ、小型車の製造に長けていたのか。

そこには文化的背景もあったのではないかと思う。

日本人は小さく精密なモノを丁寧につくり込むことに優れた国民である。米粒に文字を書いてしまったり、盆栽や箱庭がもてはやされたり、緻密な時計をつくり上げてみたり、音楽プレーヤーを携帯できるサイズにまで小さくしてしまったり。

この国には、スモールで優れたモノがたくさんある。そしてそれが丁寧につくられており、メンテナンスにまで几帳面である。

自動車でいえば、トヨタはカンバン方式とよばれる緻密な生産管理システムをつくり出した。あるいは日本には世界で唯一、軽自動車というカテゴリーがある。

国土が狭いこと、それによって道路、住環境のサイズが規定されていることもあるだろうが、私たちはそれ以上小さくできないような差異にこだわり、追求し続ける性格をもち合わせている。

アメリカを苛立たせた日本の半導体産業

小さいといえば、極小の世界、今のデジタル・インフラを支えるコンピューターの心臓部・半導体の開発競争においても日本が世界に名を馳せていた時代があった。

1990年頃、日本は、DRAM(ダイナミック・ランダム・アクセス・メモリ)の開発競争で絶対的な強さを発揮していた。DRAMとは、半導体メモリ(半導体記憶素子)の一つで、コンピューターの電源を落とすと記憶内容が消えてしまうのだが、安価で、集積度も上げやすく、コンピューターの主記憶装置としてよく使用されているものだ。

日本の半導体産業は家電製品の需要に支えられて急成長した。VTR、CD、テレビゲームなどの新たな製品が本格的な普及期を迎え、国内の民生用半導体の堅調な需要が日本の半導体メーカーを支え、世界をリードすることとなったのだ。

だが当初は、先行するアメリカ半導体メーカーの所有する特許を使用せねばならず、実に、売り上げの10%近くもの特許使用料を支払わなければならない状況だった。

その状況を打開するために、日本のメーカーは独自技術の開発に挑戦し、多くの特許を出願するようになっていく。

苛立ったアメリカの半導体メーカー、テキサス・インスツルメンツ社は、集積回路（ＩＣ）の発明でノーベル物理学賞を受賞し「半導体の父」と呼ばれたジャック・キルビー（テキサス・インスツルメンツ社に勤務していた）によって発明された「ジャック・キルビーによる集積回路」の特許に、日本の半導体メーカーのＤＲＡＭが抵触していると提訴。

やがて政治問題と化していく（参考資料：「日米半導体貿易摩擦とは一体何だったのか」中沼尚　https://www.shmj.or.jp/dev_story/pdf/nec/nec_e10.pdf）。

これも自動車の場合とそっくりではないか。

もともとアメリカが優位にあったものを、日本のモノづくりが追い越していってしまう。その背景には、日本の丁寧なモノづくりの思想がある。日本半導体歴史館のＨＰコンテンツ「業界動向」（https://www.shmj.or.jp/museum2010/exhibi020.html）では、次のように分析をしている。

「米国メーカでは製品品質責任は一定期限で十分という経営姿勢であったが、日本メーカは無限の品質責任とそれを支える品質管理こそ事業の要だとした」（表記原文ママ）

この無限の品質責任、そしてそれを品質管理で支えるという姿勢。この日本人の気質のようなものは、製造の場だけではなく、一次流通、二次流通の現場でも変わらないのではないだろうか。

唯一無二のジャパニーズ・カルチャー

経済産業省にクール・ジャパン海外戦略室が設置されたのが2010年6月。翌年7月には、改組・拡大され、クリエイティブ産業課（生活文化創造産業課）として生まれ変わる。さらに2017年にはクールジャパン政策課が創設され現在に至っている。

そのクールジャパン政策課が2018年にまとめた「クールジャパン政策について」というレポートを見てみる。

それによると、少子高齢化などによって国内需要の減少する中で、経済の持続的な成長を実現するためには、新興国をはじめとする諸外国の旺盛な外需を獲得していくことが必要だとある。

また、日本のコンテンツ、ファッション、日本食などは海外において高い人気を博している無形価値であり、今後の日本経済のよりどころとなると分析している。

そこで、クールジャパン政策が描くシナリオは、

（1）日本ブームの創出
（2）現地で稼ぐ
（3）日本で消費
というフローだ。

こうした動きを促進する組織としてクールジャパン機構（株式会社海外需要開拓支援機構）が設立された。要は日本らしさ、日本の魅力に対する理解度を世界で深め、本物を味わいに来日してもらい、外貨を落としてもらおうという政策だ。

2019年5月から8月にかけて、漫画の国外最大規模の展示会「The Citi exhibition Manga」がイギリス大英博物館によって開催された。大英博物館が主催し、日本の国立新美術館および一般社団法人マンガ・アニメ展示促進機構が共催したもので、2017年8月の日英首脳会談で合意された「日英文化季間2019−20」の一環である。

会場は最高の特別展示スペース「セインズベリー・エキシビションズ・ギャラリー」が充てられた。これは、日本文化に関する展示としても、存命の作家の作品展示としても初めてのことだ。

その展示内容がすごい。手塚治虫『鉄腕アトム』、鳥山明『ドラゴンボール』、尾田栄一郎『ONE PIECE』、萩尾望都『ポーの一族』、東村アキコ『海月姫《くらげひめ》』などの原画展示に留まらず、編集者や書店、自主制作の分野にまで視野はおよび、漫画を日本の文化としてきちんと伝えようという大規模展だったといえる。

これは一つの例に過ぎないが、他にも〝かわいい〟が、〝21世紀に入って最も世界に広まった日本語〟ともいわれるほど世界各国で共通語として使われている現象や、その他の日本のサブカルチャーが人気を博しているニュースなど、たびたび目にすることがあるだろう。

自動車産業であれ、半導体産業であれ、今見てきたクールジャパンや〝かわいい〟文化であれ、これらはなぜ世界で認められてきたのだろうか。

「それらに共通する価値とはどのようなものなのだろうか。そこには日本人のモノづくりに対するきめ細やかで妥協を許さない姿勢が根底にあるのではないだろうか。

たとえば、ネジ100本を生産しようとする工程で、10%の不良品が出てしまう工場があったとする。海外では「最初から112本生産すれば不良品が出ても大丈夫」だと考え計画するが、日本人は「そもそもその10%の不良品率をどうしたら限りなく0%に近づけることができるか」と考える。

根本的な姿勢、あるいは思想が違うといってもいいだろう。

日本人の品質への強い欲求。それは完璧であることへの終わりなき挑戦である。たとえば多くの漫画は、あるいは時にアニメーションでさえ、CGに頼るというよりは、多くの職人たちがそれぞれに集中して細部まで磨き上げたビジュアルをつくり上げている。世界で高く評価されている日本のアニメ作品のクオリティの高さは、こうした気質によるところが大きいのではないだろうか。

日本人のそうした国民性こそが、実は日本のリユース市場を支えている肝でもある。

冒頭でお話しした中古の宝石や重機を、外国人がわざわざ日本に買いつけに来るのがそのいい例である。繰り返しになるが、日本人がつくったモノ、日本人が使っていたモノ。それは品質の証なのだ。つまり、日本人がつくり使ったモノが出まわるマーケットだからこそ、そしてその取り扱いが丁寧だからこそ、日本のリユース市場は世界から信頼されている。

国民性という側面で、非常に身近な例を挙げてみよう。

私たちは何かモノを購入したときに、その梱包材まできちんと取っておいたりしないだろうか。あるいは、同じモノを2つ購入して、一つは使い、一つは新品のまま取っておいたりしないだろうか。

書籍にカバーを掛けて読む、あるいはスマートフォンにもカバーをつける(しかもさまざまな種類がある)、液晶画面にすら保護シールを貼るなどというのは私たちのモノに対する接し方の表れである。

古い世代なら、固定電話に着ぐるみのような布製のカバーを付けていたり、ブラウン管テレビの画面を垂れ幕で覆うように布を掛けていたことを思い出すだろう。

あるいは、私たちは今でも、針や人形、職人の道具など、さまざまなモノの供養をする。それは当たり前のようにモノを大切にする私たちの気持ちの表れだといえる。

リユース市場は、そういう気質の日本人だからこそ創出できるし、健全なものたり得る。

リユースという分野は、自動車や半導体や〝かわいい〟文化の次に、日本が世界に向かって発信できる、巨大な可能性をもったビジネスなのだ。私は、そう確信している。

経済のフィールドを守るモデル「サーキュラー・エコノミー」

もう一つ、リユースの動きを後押ししてくれる世界的な潮流について触れておこう。

２０１５年９月の国連サミットで採択された「持続可能な開発のための２０３０アジェンダ」に記載された２０１６年から２０３０年までの国際目標、それが最近よく見かけるようになったＳＤＧｓ（持続可能な開発目標）だ。その目標は、持続可能な世界を実現するための17のゴールと１６９のターゲットから構成され、地球上の「誰一人として取り残さない（leave no one behind）」ことを誓っている。

そのユニバーサルなゴールに向かった動きを加速させる概念がサーキュラー・エコノミー

(Circular Economy：ＣＥ、循環型経済）という新しい産業モデルだ。

一般にはまだ馴染みが薄いかもしれないが、サーキュラー・エコノミーは、過去２５０年間続いてきた世界経済における生産と消費のあり方を今までにないレベルで変革し、さまざまな機会をもたらす可能性を秘めていると期待されている。

アクセンチュアの調査によれば、「無駄」を「富」に変え、持続可能な経済を実現することによって２０３０年を目途に４・５兆ドルの利益が生み出されるとされている（新型コロナウイルス禍前の予測）。

資源や製品を経済活動のさまざまな段階（生産・消費・廃棄など）で循環させることで、資源やエネルギーの消費、廃棄物発生をなくしながら、かつその循環の中で付加価値を生み出すことによって、経済成長と環境負荷低減を両立する産業システムであり経済モデルで、製品・部品・資源を最大限に活用し、それらの価値を目減りさせずに永続的に再生・再利用し続けることによって、大きな利益が生まれるという。

アクセンチュアは、サーキュラー・エコノミーの五つのビジネスモデルを挙げている。その五つのモデルは左記の通りだ。

（１）再生型サプライ　Circular Supply-Chain

100％再生／リサイクルが可能な、あるいは生物分解が可能な原材料を用いて、繰り返し再生し続ける。

（2）回収とリサイクル　Recovery & Recycling

これまで廃棄物と見なされてきたあらゆるモノを、他の用途に活用することを前提とした生産／消費システムを構築する。

（3）製品寿命の延長　Product Life-Extension

製品を回収し保守と改良を行うことで、寿命を延長し新たな価値を付与する。

（4）シェアリング・プラットフォーム　Sharing Platform

使用していない製品の貸し借り、共有、交換によって、より効率的な製品／サービスの利用を可能にする。Airbnb や Lyft のようなビジネスモデル。

（5）サービスとしての製品　Product as a Service

製品／サービスを利用した分だけ支払うモデル。どれだけの量を販売するかよりも、顧客への製品／サービスの提供がもたらす成果を重視する。

ここで注目したいのは、これらのモデルが環境のために企業活動を縛るためのものではないということだ。むしろ健全な企業活動のために、そのフィールドを守っていかなければならないという発想から生まれている。つまり、ビジネスのために環境を守るということだ。

２０１３年に世界で初めて「エシカルなモジュール式スマホ」として誕生した、オランダ・アムステルダムのスタートアップ、フェアフォン（Fairphone）社が開発した「フェアフォン(Fairphone)」というスマートフォンがある。

設計、デザインの段階からサーキュラー・エコノミーの考えが導入され、廃棄物を出さない構造になっている。

カメラ、ディスプレイなどを自分で交換できる上、壊れた部品は１００％リユース、リサイクル可能だ。さらに、紛争の原因になっているレアメタルも使用されていない。今、注目のスマホである。

「フェアフォン3」というモデルの主なスペックは、次のようなものだ。

ゴリラガラスを採用したフルＨＤスクリーン。ソニーのセンサーを備えた１２００万画素のリアカメラ。３０００ｍＡｈのバッテリー。ストレージ容量は64ＧＢ、microSDカードも使用できる。プロセッサーにはクアルコムの「Snapdragon 632」を採用し、４ＧＢのメモリを搭載している。８００万画素のフロントカメラを搭載し、ＮＦＣ（Near Field Communication：近距離無線通信）とデュアルＳＩＭに対応している。

デザインはユーザーによる修理のしやすさと密接に結びついている。修理しやすくするためなら筐体にネジを用いるのも悪いことではないというのが彼らの考え方だ。

また、フェアフォン3では、カメラ、スピーカー、バッテリー、ディスプレイなど7つのパーツを部品として別途購入できる。たとえばカメラは49・95ユーロ、バッテリーは29・95ユーロで、これらの部品を買い換えることで使い続けることができるというわけだ。

フェアフォン社は、2017年に約650万ユーロ（約7億6000万円）の資金を調達。2013年に初代フェアフォンを発表し、5カ月後には約2万5000台を出荷した。2015年5月にフェアフォン2を発表。2017年

フェアフォン 3（写真提供:FAIRPHONE）

には累計販売台数が約13万5000台に。2017年の売上高は約1170万ユーロ（約13億8000万円）。スペアパーツの売り上げは約62万6000ユーロに上った。

彼らは倫理観で自らを律しながらビジネスを成立させている。

サーキュラー・エコノミーの一つの好例だといえるだろう。

世界企業も当然ながら動き始めている。

グーグルは、「すべての活動に持続可能性を組み込むことを目指している」とし、2017年には、世界中の事業運営を100％再生可能エネルギーでまかなうことに成功している。

アマゾンも、2030年までに使用するエネルギーを100％再生可能エネルギーにすること、2040年までに事業全体でCO_2排出量を実質ゼロにすることを約束している。

また、配送用の電気自動車を10万台発注し、世界中で森林再生プロジェクトに1億ドル（約110億円）を投資するという。

顧客や従業員、投資家など誰もがこうした取り組みの達成度を追跡できるよう、アマゾンはサステナビリティ（持続可能性）に関する新しいウェブサイトも開設している。

一方、日本では経済産業省の「循環経済ビジョン研究会」が2019年6月に出したレポートがある。

そこでは、サーキュラー・エコノミーは、経済成長と環境・社会課題解決を同時に実現する成長戦略であり、サーキュラー・エコノミー型モデルに移行することによって、産業競争力を強化することができるとしている。

大事なのは、その着眼点である。同レポートでは、四つの着眼点を挙げている。

（1）【Value ×サーキュラー・エコノミー】ユーザーが求める新たな価値を提供

ユーザーは物質的な豊かさに加え、信頼や環境・安全といった目に見えない価値を要求し始めている。

（2）【Society ×サーキュラー・エコノミー】社会課題と資源効率の一体的解決

図表4　循環経済ビジネスモデル

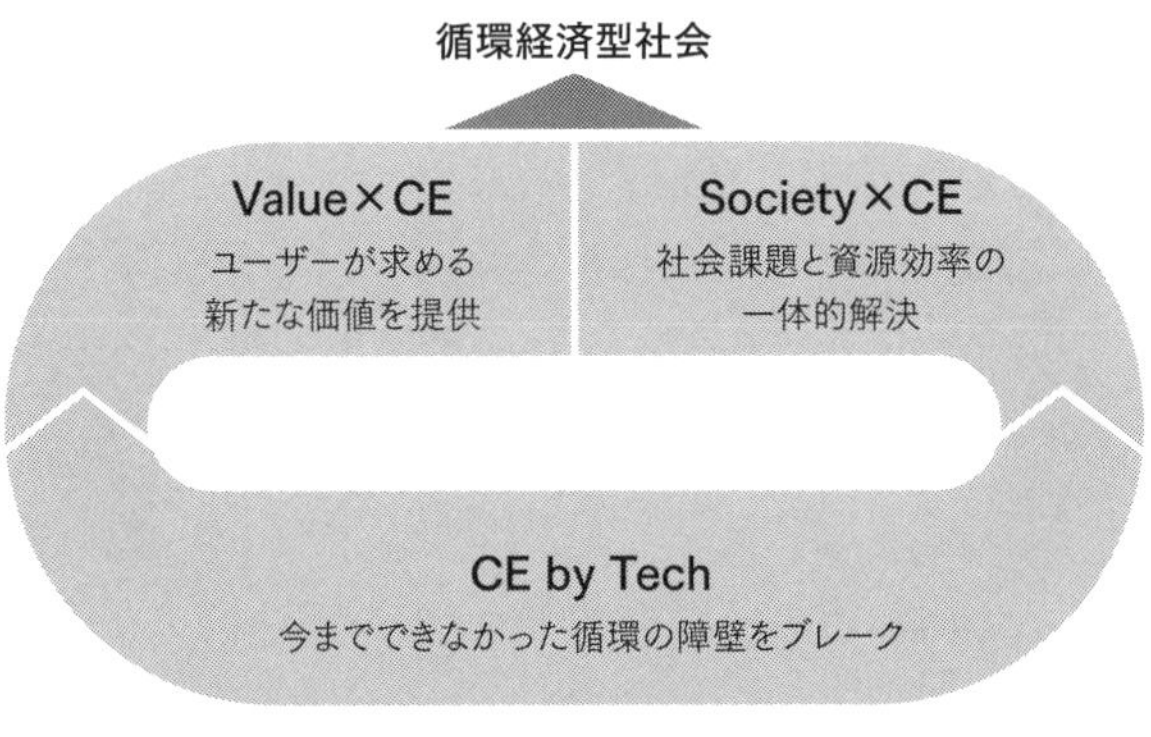

出所：「循環経済ビジョン策定にあたっての検討事項」第7回循環経済ビジョン研究会（2019年6月24日）

2050年には国内人口は1億人まで減少し、空き家率は約3割に到達する一方、インフラ維持管理費は現在よりも増加すると予想されている。たとえば、こうした課題を循環型経済で解決する。

(3)【サーキュラー・エコノミー　by Tech】今までできなかった循環の障壁をブレークCPU能力をはじめとして、通信技術の進歩は指数関数的に伸びている。2050年に向け、テクノロジーがもたらす変化はますます大きくなり、資源循環のために最大活用することは不可欠。

(4)【サーキュラー・エコノミー　with Asia】アジアの循環エンジンとして機能

これらの大きな動きの中でいちばん大事なのは、「循環」というコンセプトだ。使わなくなった完成品から資源を取り出すリサイクルでは、一つひとつの製品寿命は変わらない。そして資源を取り出すプロセス、新しい商品を開発・製造するプロセスとその販売のためのコストがかかる。

それに比べれば、製品そのものを何度も循環させたほうが効率が良い。

そのためには製品を次の人やステージに受け渡す「場」がいる。そこにモノがあることを誰もが認知している場。そういう場があるからこそ、製品はそのままの形で循環し出す。

もちろん、製品寿命はある。故にやがてそれらもリサイクルに回されはする。が、しかし、そのとき、サーキュラー・エコノミーのモデルでつくられた製品であれば、余分なゴミを出さず次の循環サイクルに入っていけるということだ。

そうした製品がまだまだ少ない中、リユースの使命は大きい。製品という最終形態になったモノを循環させるには、リユース市場を活性化させるプラットフォームが必要である。

話はどんどん大きくなっていくが、次章では今一度、本書のテーマである「リユース」を見つめ直す意味で、日本人の気質を生かしたリユース市場がどのような現状にあるのかを見ていくことにしよう。

第4章
日本のかくれ資産は実に37兆円以上

日本人の4人に1人がルイ・ヴィトン

バブルの頃。ルイ・ヴィトンの全世界での売り上げの約60%が日本だとか、日本人の4人に1人がルイ・ヴィトンを持っているだとか、都市伝説のようにいわれていたことがあった。

実は、フランス国内にわずか2拠点になってしまったルイ・ヴィトンが、第二次世界大戦後、初めて国外に出店したのが日本だった。

日本への進出は1978年3月。東京に3店舗、大阪に2店舗、計5店舗が開業した。同年9月にさらに1店舗をオープンさせ、一気呵成の出店が続いた。そして1981年、銀座に直営店をオープンする。

そこから10年ほどで、ルイ・ヴィトンの売り上げの半分を日本人が占めるようになったともいわれている。まさに日本がバブルへと駆け上がっていく時期だ。

余談だが、ルイ・ヴィトンといえば「モノグラム」が人気で、売り上げの約6割はモノグラムだともいわれている。

そのモノグラムが、実は日本の家紋に触発されたものだというのは、ご存じだろうか。また、「ダミエライン」も日本の市松模様にヒントを得たといわれている。

それだけ日本とルイ・ヴィトンの相性は良かったといえる。

現在でも、ＬＶＭＨ（モエヘネシー・ルイヴィトン）グループの「日本」ディビジョンは2ケタの増収を達成し引き続き好調である。

グループの２０１８年12月期（２０１８年度）連結決算を見ると、主力の「Fashion and Leather Goods（ファッション・皮革製品）」が好調に推移。売り上げ収益は過去最高を記録している。

「日本」ディビジョンも33億５１００万ユーロ（約４１８８億７５００万円、１ユーロ＝１２５円で換算）、13・３％増と健闘している（アパレル・ビジネス・マガジン「財務分析レポート」http://www.apparel-mag.com/abm/article/financial/2433）。

さて、ここから何が読み取れるだろうか。

リユースの観点から見れば、１９７０年代後半から今日まで、それだけルイ・ヴィトン製品が日本国内に持ち込まれ続けているということである。くわえて、それを受け入れる消費者、つまりはそのブランド価値を理解した消費者がいるということでもある。

ルイ・ヴィトンは一つの代表例だが、多くのブランドでも同じことがいえるだろう。日本は、有名ブランドのセレクトショップのような役割を果たしている。

日本の消費者の審美眼に応えるように、日本では「目利き」というプロが存在している。このことが大きい。

モノを見極める際の消費者の厳しい目。いったん手にしたモノを大事に扱う丁寧さ。そしてその製品が再び市場に出てきた際に状態を見極める専門家の存在。

そうしたものが日本のリユース・マーケットそのものの品質を担保している。

状態の良いモノが専門家によって価値づけされているからこそ、わざわざ訪日し日本のリユース品を買い付けていくのだ。

「目利き」については、後ほど、もう一度述べたい。

イーベイ誕生。ネットオークションサービスの夜明け

日本のリユース・マーケットは2013年の時点で、年間およそ1・5兆円の規模だといわれ、2013〜16年の間、平均9・2％ずつ成長し続けてきた注目の市場である。

2020年には2兆円に達するのではないかと予測されてきたが、2017年時点ですでに1兆9000億円を超え、予想を上回るスピードで成長している。

2兆円といえば、ANAホールディングス、武田薬品工業、大林組、九州電力、リコーといった誰もが知る企業の売上高と同じ規模である。

その成長の背景にはC2Cビジネスの発展もある。

ネット上で世界で初めてオークションを展開したのは、1995年のイーベイ（eBay）である。

イーベイは、商品を販売するのではなく、マーチャント（出品者）と購入者を繋げるマーケットプレイスとして、ピエール・オミダイアによって創業された。

ピエール・オミダイアは高校時代にコンピューターに関心をもち、タフツ大学で計算機科学を専攻し卒業後にクラリスへ入社。MacDraw（初期のアップルコンピューター社製Macintoshに同梱されていたグラフィックソフトウェア）の開発に携わった。

その後、1991年に3人の友人とともにインク・デベロップメント（Ink Development）を設立、後にイー・ショップ（eShop）と社名変更されマイクロソフトに買収される。

彼は1994年にゼネラル・マジック（General Magic）へ籍を移し、その長期休暇中に、コンピューターコードを書き上げ、試験的に「オークション・ウェブ（Auction Web）」の名称でネットオークションサービスを開始。これがイーベイの起点である。

余談だが、オークション・ウェブの最初の購入者は、カナダ・バンクーバー州ソルト・スプリング・アイランドに住むマーク・フレイザーなる人物である。

ピエール・オミダイアがサイトに初めて掲載したアイテムである、壊れたレーザーポインターを購入したのである。

フレイザーはきっとこの仕組みを見つけたことと、このサイトの可能性に興奮して購入ボタンをクリックしたに違いない。

彼は今でもその壊れたレーザーポインターを持っていると誇らしげに語っている。

1997年9月。オークション・ウェブはイーベイへとサービス名を変更する。

その後、ベンチャー・キャピタルの出資を受けるなどして、1年後の1998年9月に株式を公開。

莫大な資産を手に入れたピエール・オミダイアは、妻とともに財団を設立。社会に継続的な変化をもたらし世界をより良くする取り組みを続けている。

ここで、ピエール・オミダイアが2014年にアカデミー・オブ・アチーブメントの学生を前に行ったスピーチの概略を紹介しよう。

現在の私たちにとっても非常に示唆に富んだ内容だと思う。

「私がイーベイを創設したのは、個人個人が効率的にビジネスをする場を設けたかったためです。イーベイより以前、ウェブサービス事業の、特にeコマース分野の人々は、ただ企業収益を増やそうという目的でより多くの顧客へリーチしようとしていました。

私の目的は、一般の人が公平な立場で参加し利益を得られる効率的なマーケットをつくることでした。

イーベイが利用したのは、双方向性のあるマスコミュニケーションを可能にしたインターネットの新鮮さです。

一部の人々は、イーベイを『人民の人民による人民のためのサービス』と表現しましたが、私が行ったのは個人個人が情熱を発信し、同じ熱意をもつ人とマッチングできるような土台を築き、サービスに招いてビジネスを促しただけです。

私が特別何かをしたわけではないのです。

ビジネスの未来はイーベイのようなサービスにある、と私は信じています。どんな言語を話していても、どこに住んでいても有益なマーケットに参加できる、唯一の国際トレードコミュニティをつくることが、私のビジョンでした。つまり、消費者が生産者になれるような場です」

これはリユース市場のあり方にも通じる考え方だ。必要なのはリユースにおける公正公明な取り引きが行われることが約束されている「場」づくりだ。

もう一つ、ピエール・オミダイアは大切なことを述べている。

それは、世界がインターネットによってすべて変わってしまうのではないということだ。インターネットが革新的な技術で、今やインフラであることは疑いようのないところだが、その利用者がリアルな人間であることを忘れてはいけない。

インターネットは人間の行動や意識に働きかけることはあっても、それだけで人間のもつさまざまな感情や説明できない行動の数々、あるいは所属している国家やコミュニティ、トライブなどで重要視される規範までががらりと変わってしまうわけではない。

これからのビジネスにおいても、人を見ることの重要性は変わらないと彼は述べている。

ご存じの方も多いかもしれないが、実は、イーベイは一度、オンラインオークションサイトとして日本に進出している。

だが、Yahoo!オークション（現ヤフオク！）との競争の末、2002年にこの分野からの撤退を余儀なくされたという経緯がある。

そして2018年、ファッションや化粧品、食品、家電、雑貨、日用品、チケットなどを販売している総合ECサイト「キューテン（Qoo10）」を運営するジオシス社の日本事業を買収する形で日本に再進出した。

だが、日本国内のECサイトとして競争していこうというよりは、日本国内から海外への販路を求める企業を主要ターゲットとして海外進出支援（越境EC）に力を入れている。

日本企業はイーベイ・ジャパンのサポートを得て、世界中に展開するイーベイのプラットフォームで商品を海外に販売できるわけだ。

イーベイを通じて世界と繋がっていく世界観。

それは、「ウリドキ」というC2Bのリユース・プラットフォームを創業した私が、中学時代にパソコンを手にして夢見たことに通底するものがある。

私の当時の話は後述するとして、このあとは、日本の大手ECサイトの動きを少し追ってみよう。

オークション&フリマでモノの価値に対する意識も変化

日本のネットオークション元年は1999年。Yahoo!がヤフオク！の前身となる「Yahoo!オークション」を、楽天が「楽天フリマオークション」を立ち上げ、そこへソニーコミュニケーションネットワーク、DeNA、リクルート3社による「ビッダーズ（Bidders）」が続いた。

Yahoo!オークションは、1999年9月28日に〝誰もが手軽に出品、入札ができるインターネットオークション〟としてローンチした。

そこから出品者の本人確認システムの導入、〝オークションストア〟の出店受付を開始、知的財産権保護の取り組み、スマートフォン・タブレットアプリの提供など、サービスをアップデートしてきた。

最近では、偽物出品対策を強化するとして、スパコン・ディープラーニングの活用を開始したり、ヤマト運輸やセブン‐イレブンと組んだサービスの開発にも積極的だ。

数字を見ると、取り扱い高8899億円（2018年度通期）、常時出品数6480万品（2019年7月実績）、出品カテゴリ数4万531件（2019年7月実績）といった実績が公式サイトにアップされている。

オークションとフリマの構成比は、4対6（2019年7月実績）となっている。

ヤフオク！は現在、こんなフレーズを掲げている。

「サクッと売り買いしたいものはフリマで。とっておきのものはオークションで。『安心して、楽しくリユースできる』場を提供するために、ヤフオク！は日々改善しています」

このフレーズを別の形で体現しているのが、2019年10月に登場したペイペイフリマかもしれない。

かんたんにいえば、ヤフオク！のフリマ出品に特化したアプリがペイペイフリマだということができる。ヤフオク！とペイペイフリマが今後どのようなシナジーを生み出していくのか。現在のところはまだはっきりとした道筋は見えていないようだ。

楽天オークションはどうだろう。

このサービスは、1999年9月に楽天市場に開設された「楽天フリマオークション」を起点とし、2004年7月23日に「イージーシーク（EasySeek）」のサービスを統合するなどして楽天オークションに生まれ変わった。

やがてNTTドコモが40％の株式をもつようになるが、ヤフオク！との差は歴然。競合ウェブ分析ツール「シミラーウェブ（SimilarWeb）」を使った株式会社ギャプライズが2015年7月に行った調査によると、ヤフオク！のアクセスシェアが92・72％と圧倒的で、楽天オークションは5・98％と大きく離された結果となっている。

そうした状況を受けて、楽天オークションは2016年にサービスを終了。2017年には法人格が消滅している。

楽天オークションがサービスを終了していくプロセスと並行して、2014年11月25日に楽天のフリマアプリ「ラクマ」のサービスが開始され、2018年には買収によって存在していたもう一つのフリマアプリ「フリル」と統合、楽天の新しいフリマアプリとして一本化が図られた。

ビッダーズは、ソニーコミュニケーションネットワーク、DeNA、リクルートが合同で1999年に始めたサービス。

ソニーコミュニケーションネットワークの「ソネット（So-net）」と、リクルートのサイト「イサイズ（ISIZE）」内の、個人間商取引情報と出会い情報を有する掲示板〝じゃマール・オン・ザ・ネット〟と連携し、サービスの企画・運営をDeNAが担当してスタートした。

DeNAはアメリカのコンサルティング会社マッキンゼー・アンド・カンパニーのメンバーが中心になってこの年の3月に設立された会社で、ネットビジネス関連の戦略立案経験を企画・運営に生かすとしていた。

そこからの経緯をかんたんに辿ると、DeNAは、ビッダーズと並行して、携帯電話専用オークションサービスとして「モバオク」を開始する。モバオクが次第にパソコンにも対応し、一方ビッダーズは2013年1月に「DeNAショッピング」と改称、オークションサービスは2014年3月に終了する。その結果、DeNAのオークションサービスがモバオクに一本化されていく。

ここまで見てきたように、個人間のモノのやりとりの経験値がさまざまなサービスを通じて徐々に蓄えられ、やがて、メルカリやラクマ、ペイペイフリマなどのプラットフォームが登場したことで、リユース品を売買する人々の経験値は加速度的に上がってきている。

ミレニアル世代（1980～2000年代初頭に生まれた世代、詳細は諸説ある）は、売ることを前提に購入前にいくらで売れるかを調べるといわれている。

手持ちの品を売ることに対する抵抗は確実に減ってきているし、それを買い取る個人側にも躊躇いがなくなってきているといえる。エスクローという、メルカリなどの第三者が売買取り引きの仲介に入る仕組みで、お金に関するトラブルを防止していることも大きい。

もう一つ、こうした個人間の売買が活発化した要因として、最近日本を襲う災害の数々が挙げられる。阪神・淡路大震災から進化してきた災害救助のアクティビティの中で、被災地へモノを届けるという運動が活発化した。このことは人々に、手元に埋もれている品でも必要とする人がいるかもしれないという、モノの新たな価値を知る経験となったのではないだろうか。

そういった流れの中で登場してきたのが、KonMariであり、断捨離やシンプリスト、ミニマリストなど、モノとの付き合い方を変容させる生き方だ。ちなみに、KonMariのときめき片づけのコンセプトは、「捨てるモノ選び」ではなく「残すモノ選び」であると語っている。

総じていえることは、かつての〝もったいない〟は「捨てるなんてもったいない」という意識だった。しかし時代は変わり「自分のもっているモノの価値を知らないなんてもったいない」という意識に変わってきたということもできる。

日本全体では、不要となった製品が年間で約7・6兆円も生まれているといわれている中で、ようやく2兆円規模の市場まで成長してきたところだ。逆に見れば、依然として5兆円以上のモノが毎年埋もれ続けているのである。

国民1人当たり28万円ものかくれ資産

また別の興味深い調査をご紹介しよう。

人々が家庭の中にどれだけのモノを眠らせているか（退蔵）について調査したデータがある。「みんなのかくれ資産調査委員会」が株式会社ニッセイ基礎研究所の監修のもと、メルカリからもデータの提供を受け、日本の一般家庭に眠る不要品（＝1年以上利用していない品物）の総量に関して調査したものだ（ｎ＝全国の10～60代の男女２５３６人）。

それによれば、1年以上利用していないモノの総数に、フリマアプリでの平均売買価格をかけ合わせた額を〝かくれ資産〟として算出したところ、日本全国で推計37兆円以上の退蔵品があることがわかった。

先ほど、不要となった製品が年間で約７・６兆円生まれているといったのは、経済産業省が２０１７年４月に出した「平成28年度電子商取引に関する市場調査」データに基づいている。

そのデータでは、過去1年間に不要となった製品の推定価値が総額７兆６２５４億円であった。

整理すると、**毎年約7・6兆円の不要品が生まれ、そのうちリユースに出されるのは2兆円ほど。残りの5兆円以上が退蔵されている。その累積を推定した値が37兆円以上ということになる**ということだ。

なお、リユース品の価格は変化するので、フリマアプリの平均売買価格をかけ合わせた推計値としてはじき出している。

みんなのかくれ資産調査委員会のこの調査をもとにすれば、**国民1人当たりの退蔵品の推計額は28万円あまり。1世帯当たりの平均かくれ資産は69万円あまり**にも上る。

平均給与やボーナスの支給額かと思えるような数字だ。

この莫大なかくれ資産は、売るべきタイミングを間違えなければ、間違いなく大きな価値を生み出す〝ウリドキ資産〟となる。放っておけばかくれ資産、ベストのタイミングでリユース市場に出せばウリドキ資産。どちらが有意義であるかは自明だと思うのだが、いかがだろうか。

ちなみに、このかくれ資産は、2019年の株式会社ゲオの調査によれば、携帯だけでも2兆1239億円ある。みなさんの周りにも、使わない携帯を自宅に眠らせてしまっている人はいないだろうか。その人たちの、10人に1人が携帯を売っただけで、日本の経済は2000億円以上活性化する。

同様に、2014年の株式会社コメ兵の調査では、もう使わなくなり押し入れに眠らせてしまっているジュエリー、時計、バッグ、ブランド衣料品のかくれ資産は、なんと約15兆円にもなる。こちらも、仮にその人たちの10人に1人が売っただけで、日本経済は1・5兆円も活性化するのである。

リユースが広まることで世の中に与えるインパクトを感じていただけただろうか。

これまでに述べてきたように、日本のリユース品は世界的に見れば「ユーズド・イン・ジャパン」という一つのブランドとなっている。

日本人がバブルの頃に購入し退蔵させているモノがまだまだたくさんある。そう、たとえば、ルイ・ヴィトンに行列をなして買った人たちがもち続けているブランド品が眠っているのである。

世界はそれがリユース市場に出てくるのを待っている。

たとえば、一時話題になった中国人による爆買い。下火になったともいわれているが、彼らは日本に来て新品ばかりを買いあさっているのではない。御徒町で宝石のオークションに顔を出すように、リユース品を大量に買い付けているのだ。

なぜそんなに日本のリユース品が人気なのかといえば、これまで述べてきたように、日本人の「本物を見極める」審美眼、手に入れたらそれを「大事に使う」という民族性、働くときには極めて「真面目に働く」信頼性。

この3つが揃っているからこそ、海外の人から見れば、真贋《しんがん》という点において、**「日本のリユース品は新品より本物」**だということなのだ。

それゆえ、リユース市場に注目するならば、それはまず日本なのである。

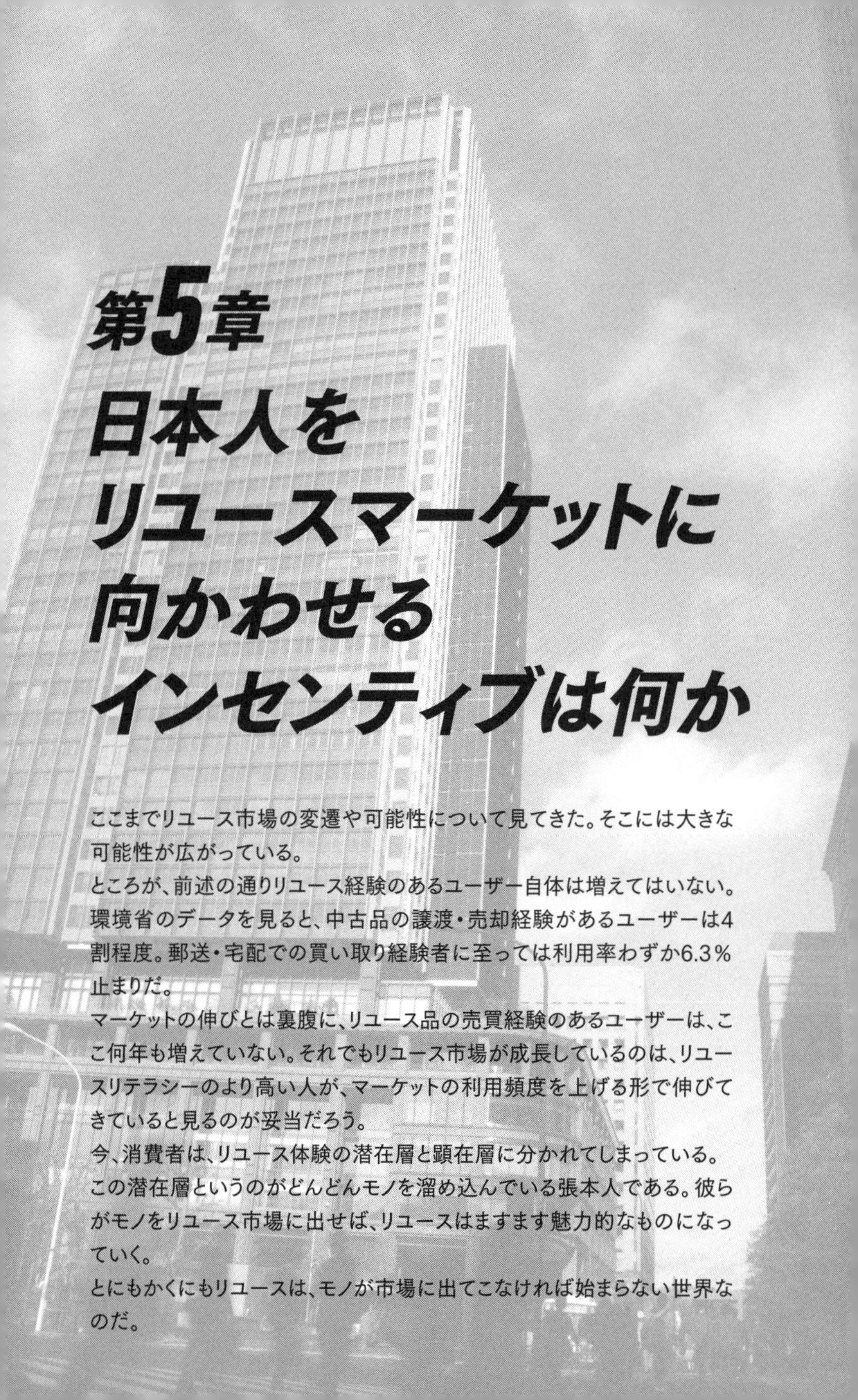

第5章
日本人をリユースマーケットに向かわせるインセンティブは何か

ここまでリユース市場の変遷や可能性について見てきた。そこには大きな可能性が広がっている。

ところが、前述の通りリユース経験のあるユーザー自体は増えてはいない。環境省のデータを見ると、中古品の譲渡・売却経験があるユーザーは4割程度。郵送・宅配での買い取り経験者に至っては利用率わずか6.3％止まりだ。

マーケットの伸びとは裏腹に、リユース品の売買経験のあるユーザーは、ここ何年も増えていない。それでもリユース市場が成長しているのは、リユースリテラシーのより高い人が、マーケットの利用頻度を上げる形で伸びてきていると見るのが妥当だろう。

今、消費者は、リユース体験の潜在層と顕在層に分かれてしまっている。この潜在層というのがどんどんモノを溜め込んでいる張本人である。彼らがモノをリユース市場に出せば、リユースはますます魅力的なものになっていく。

とにもかくにもリユースは、モノが市場に出てこなければ始まらない世界なのだ。

ユーザーが納得できる「価格」の〝見える化〟

なぜ、消費者は、リユース体験の顕在層と潜在層に分かれてしまうのだろうか。

それはリユースの価値が「価格」でしかないことが、現状の問題だと見ている。

どれだけ高く買い取ってもらえるかがユーザーである個人の売り手側の関心事であり、一方リユース企業はどれだけ安く仕入れられるかに最初の関心が向いている。その上で、マーケットからどれだけ差益を生むかがリユース企業の狙うところだ。

リユース企業もビジネスだから、利益を追求するのは当然である。だから市場の価格推移を見て販売価格から買い取り価格を導き出すのは極めて合理的な判断だろう。だが、その額が相場に見合った適正なものなのかどうかは、ユーザーにはわからない。なので、どこか不信感のようなものがまとわりつき、何かの節目でもなければ、モノを買い取ってもらおうという気持ちにならない。

こうしたネガティブなイメージの連鎖、リユース企業とユーザーとの意識の乖離を埋めていくものは何なのか。

「売る」ではなく「買う」という場面で、価格が透明化されたサービスといえば、「カカクコム」がその代表格だ。多くの人が使った経験があるだろう。

1997年5月、槙野光昭氏が「コア・プライス（¥CORE PRICE¥）」というサイト名で始めた商品価格一覧サイトがその発端である。

槙野氏は大学卒業後、パソコン周辺機器メーカー・メルコ（現バッファロー）で、主にメモリ製品をショップに置いてもらう営業をしていた。

メモリは規格品で価格以外の差別化が難しいため、自ずとできるだけ安くショップに卸すことが求められた。

となれば、同業他社のメモリが今この瞬間にどのくらいの価格で販売されているのか。そのデータが必要になる。

それを秋葉原周辺で調べるのが槙野氏の業務だった。

その仕事から槙野氏が見出したのは、いちばん安い商品、あるいはいちばん安く売っているショップを探す消費者の姿であり、ライバル店の情報を知りたがるショップのありようだった。

1997年というのは、消費税が3％から5％に増税され、「インターネット・エクスプローラー（Internet Explorer）4・0」が公開され、「楽天市場」がオープンした年だ。

パソコンに搭載されていたメモリが4〜8MBで、16MBの拡張メモリが3万〜4万円で飛ぶように売れていた時代だ。

当時はパソコンやプリンターの価格が安い店を勝手に10店舗ほど選んで掲載していたという

槇野氏の手づくりパソコン価格一覧サイトが、やがて「カカクコム」へと発展していく。

槇野氏は経営を離れてしまうが、「食べログ」なども含めたグループの2019年3月期の売り上げは、548億3200万円（営業利益：250億7000万円）の超優良企業に成長している。

「カカクコム」は、何を変えたのか。

これまでは事情通だけが知り得ていた〝価格〟という情報を〝見える化〟したことがいちばん大きい。

消費者にとってもショップにとっても分け隔てなく、その情報を公開した。それは価格を誰もが信頼できるものにすることに繋がった。

マーケットによって真の適正な価格へと導くことになったのだ。

リユースにおいても、この考え方は重要だ。価格を〝見える化〟することで、買い取り価格が適正であるとユーザーが感じられること。つまり、情報格差による買い叩きや、高く売るといった行為をなくすことが重要なのである。

不要品を他人に渡すことへの抵抗感をどうするか

リユースの場合、市場による価格の決定を大前提として、もう一つ考えなければいけないことがある。

それはおそらく「承認欲求」というキーワードで説明できるものだ。モノを手放すこと、セカンドハンドのモノを手に入れること。こうした行為が自分の周りからどのように評価されるのかという点だ。

それを見ていくために、もう一度、KonMari の成功に立ち返ってみよう。

KonMari がアメリカで成功した背景には何があるのだろうか。

彼女は日本でも有名だが、成功の基盤はアメリカにある。

2019年1月にアメリカの動画ストリーミングサービス、ネットフリックス（Netflix）で「Tidying Up With Marie Kondo」（邦題「KonMari ～人生がときめく片づけの魔法～」）が世界190カ国で配信されてから一気にブレイクした。

この番組は、アメリカ・テレビ界の最優秀番組などに贈られる第71回エミー賞の、リアリティーショー部門での作品賞とホスト賞でノミネートされた。

しかも、その年の顔となる人が務めることになっている、受賞者を発表する「プレゼンター」に KonMari が選ばれたことからも、彼女が、アメリカでどれほどの注目を集めているか、十分理解できる。

日本でもその活躍が注目され、女性ファッション誌『ヴォーグ・ジャパン（VOGUE JAPAN）』の「ヴォーグ・ジャパン ウィメン・オブ・ザ・イヤー2019」に選出されたり、日経ウーマン「ウーマン・オブ・ザ・イヤー2020」特別賞を受賞したりしている。

そもそも著書『人生がときめく片づけの魔法』（サンマーク出版）が世界40カ国以上で翻訳・出版され、1100万部を超える世界的ベストセラーとなったことがきっかけで海外からのオファーが増え、2016年に拠点をアメリカに移したのだという。

2019年11月には、自身初の、片づけの楽しさに初めて出合う絵本『キキとジャックス』を世界同時発売している。

それにしてもネットフリックスであらためてKonMariの番組を見てみると、アメリカ人の物欲は凄まじい。日本よりはるかに大きな家に住み、その家がモノで溢れかえっている。

それをKonMariメソッドが変えていく。

彼女が大切にしているのは、「手に持ってみてトキメキ（Spark Joy）を感じるかどうか」だという。モノを手に持つことでトキメクかどうかがわかるのだという。

これらのプロセスは、実は「残すモノ」を選別するプロセスだ。手放すことに躊躇いがあるのではなく、どれを残したらいいのかがわからない。それがモノに埋もれた現代人の姿なのだ。

とはいっても、人はそんなに大量にモノを捨てる踏ん切りがつくものなのか。

そこにはおそらくアメリカ市民の中にある文化的な要素が関係しているのではないかと思う。「隣人愛の実践」といわれるモチベーションがそれだ。「隣人愛の実践」とは文字通り、隣人を愛せよというキリスト教の教えである。

隣人とは、国や身分の差別なしに（敵をも含めて）あらゆる人間にまで及ぶ概念だとされている。道の途上で出会う人々、特に困窮する人々や見捨てられた人々に対して、神の生き写しとしての愛を示すことだとされている。

聖書にはこうある。

《レビ記》19章18節
「あなた自身のようにあなたの隣人を愛さなければならない」
《マタイによる福音書》22章39節
「イエスは、神を愛することとともに、この隣人への愛こそもっともたいせつな戒めだと教えた」
《ルカによる福音書》10章25節
「今助けを必要としている人の隣人になってあげることにその意味があるとして、善きサマリア人のたとえを語った」

こうした教え故にアメリカは世界屈指の寄付大国である。

NPO法人日本ファンドレイジング協会によると、日本人の個人寄付総額は7756億円(2016年)。それに対して、アメリカの個人寄付総額は30兆6664億円にも上り、約40倍の差があることになる。名目GDPに占める寄付の割合を比較しても、日本の0・14%に対して、アメリカは1・44%とおよそ10倍の差がある。

こうした宗教的背景が、KonMari メソッドによって生み出された〝ときめかないモノ〟の行き先をつくり出しているとはいえないか。

実際のところ、いらなくなったモノや服の寄付を受け付けているアメリカの非営利団体のグッドウィルでは、KonMari のテレビショーに影響されて、不要になった衣類などの寄付が増加したという。

2019年の元日にスタートした KonMari の番組後、最初の1週間で、オマハエリアにあるグッドウィルストアでの寄付が昨年同期比で40%も急増したと公表しているほどだ。

もちろん、すべての人がそのような倫理観に基づいて行動しているとはいえないかもしれない。しかし、潜在意識の中に、あるいは文化として、アメリカにはそのような宗教的な背景があると理解しておいたほうがよい。

KonMariメソッドは、隣人への施しという良い行いの機会を生むということで、深層心理的な面でも受け入れられたのだ。

ところが日本では、個人の寄付金を見てみた通り、善意の行き場である寄付の文化はアメリカほどには根づいてはいない。

もちろん、各種大災害の際に集まる寄付金やふるさと納税、あるいは徐々に浸透してきているクラウドファンディングなどによって、日本でも寄付行為は広まってきてはいる。

しかしながら日本では、退蔵品が市場に出てきていないことはこれまでにも確認してきた。アメリカで一つのムーブメントになったKonMariメソッドは、機能的で合理的な片づけ方法であることには日米で変わりはないが、日本では〝見える化〟された不要品の多くが処分すべきゴミとなってしまうのである。

そのモノの価値を（たとえ寄付ということであっても）見出すことがこれまでの日本ではしにくかったからである。

アメリカと同様、文化的な背景にその要因の一つを見出そうとするならば、日本においては「けがれのない」「まっさらな」「無垢な」「純白の」といった言葉が肯定的な意味を帯びているように、新品主義とでもいうべきものが大事にされてきたということがある。

昔から日本では「おさがり」といったリユースが存在してはいる。しかしそれは、あくまでも家族や身内といった親しい間柄でのことだった。

ファッションとしての古着も、かっこいいと思う人がいる一方で、絶対にムリだという人も少なからずいる。

人が使ったモノを身につける、使うことへの抵抗感が、逆に自らのモノを人に使ってもらうことへの心理的な障壁となっている。あるいは他人に生活の一端をのぞかれる気味の悪さのようなものが空気感として漂っているのではないだろうか。

しかしながら、人口ピラミッドは逆三角形化し、若者の平均年収がここ20年ほど下がり続け、学費は1・5倍、年金支払額は1・9倍、消費増税も加わってとにかく生活に必要な支出は増え続けている。

そんな状況下で、今度は新型コロナウイルスが社会を一変させてしまった。

「感染拡大を予防する新しい生活様式」として3密（密閉、密集、密接）の回避が求められ、ソーシャルディスタンスをとるよう促されている。これは無症状の感染者が、そうとは知らず他者へ感染を広げてしまうリスクを避けるために提唱されているものだ。

このような社会的なリクエストの中で、実は、リユース体験者が増えてきた。緊急事態宣言下の「ステイホーム」要請によって、人々が家にいることしかできなかったことが大きく影響している。

普段なら手をつけられない片づけをしよう、使わないモノは少しでもお金に換えておこうという、先行き不透明な時代の心理が反映されたアクションだと理解することができる。

では、具体的にどのような動きが見られるようになったのだろうか。私が運営するC2Bリユースプラットフォーム「ウリドキ」からデータを抽出してみよう。例年アクティブユーザー数に変化の少ない1月と3月の値を2020年で見てみる。比較するのは買い取り査定依頼件数（出張買い取り含む）の値で、その変化率の高いカテゴリーは図表5の通りだ。

ウリドキを利用したユーザー数は1月と3月で125％に増加。査定依頼件数は139％となり宅配買い取りの依頼が増えていることが数字としても表れている。

図表5 買い取り査定依頼件数の変化率

カテゴリー	変化率	カテゴリー	変化率
カー用品・バイク用品・自転車	153%	家具・寝具・食器	126%
ホビー・カルチャー	151%	古着・ファッション	126%
ゲーム・古本・CD・DVD	150%	スポーツ・アウトドア用品	122%
コスメ・美容・健康器具	148%	チケット・切手・金券	106%
お酒	137%	楽器・ピアノ・音響機器	105%
金・ジュエリー	137%	着物・美術品・骨董品	98%
スマホ・カメラ・家電	134%	ブランドバッグ・高級時計	96%

＊2020年1月と3月の買い取り査定依頼の申し込み数を比較した変化率

カテゴリーごとの変化率を見ると、最も大きかったのは、「カー用品・バイク用品・自転車」で153％。他には、「ホビー・カルチャー」「ゲーム・古本・CD・DVD」などのカテゴリーが上位に並んでいる。

これは、型番があるモノのカテゴリーが伸びたということでもある。査定が明瞭で価格感を摑みやすく、段ボールにも入れやすいサイズの不要品が買い取りに出された印象だ。これらは、オンライン買い取りと相性のいいモノである。

また、お酒は贈答品の片づけによる売却需要のほか、飲食店が在庫売却に動いたことによって伸びたのではないかと思われる。

この「ステイホーム」期間は、自分の所有するモノを見つめ直すいい機会になっていたということができるだろう。人との接触を減らすという意味で、オンライン買い取りという選択肢が認知されたことも大きい。

このリユース体験をいかに次に繫げていくのか。新しい生活様式が求められる社会において、オンラインでの買い取りがますます重要視されていくことが容易に想像できる。

収入は減り支出は増え、可処分所得が減少し続けている現状に、新型コロナウイルス禍による社会の変容。

このような時代において求められるビジネスとはどのようなものなのか。新型コロナウイルス禍によるビジネスへの影響はまだまだ見通せないところもあるが、いま見え始めている3つの分野について、まずは概観しておこう。

シェアできるものは共有して済ます

インターネットを通じて、モノや場所、スキルや時間などを共有する経済の形「シェアリングエコノミー」は、ずいぶんと私たちの生活の中に入り込んできた。活用可能な資産（場所・モノ・スキルなど）と、それを使いたい個人などを結びつけるサービスである。

シェアリングエコノミー協会によれば、シェアサービスは5つに大別される。

空間のシェア

旅行や出張などで、家を空けるとき、その期間だけそのスペースをシェアしたり、飲食店が営業時間外にキッチンを貸し出したりするようなイメージだ。

モノのシェア

モノのシェアは、ウェディングドレスや着物のレンタルなどをイメージするとわかりやすい。

これらのサービスは、結局は1着をシェアしていることになる。あるいは、自家用車を使用しない時間帯に、誰かに貸し出すサービスなどもある。

スキルのシェア

資格を活かしたり、本業ではないが自分の得意なことを誰かのためにある限られた時間だけ提供したりする、そんな関わり方。そこには人と人との繋がりを生むという別の価値も生まれる。代表的な例でいえば、家事代行など。スタイリストが洋服を選ぶサービスなどもある。

移動のシェア

最近街でよく見かけるようになってきたシェアサイクルやカーシェアリングがその代表格。タクシーもライドシェア（相乗り）が広がれば、シェアリングエコノミーの一翼を担うことになる。また、公共交通機関は移動のシェアという観点から大きな役割を担っていると見ることもできる。

お金のシェア

この代表的な例は、クラウドファンディングだろう。投資、出資というよりは、目的などに共感した人がその実現を手助けするニュアンスが強い。

シェアリングエコノミー協会が発表した「シェアリングエコノミー市場調査2018年版」によれば、2018年度の市場規模は過去最高の1兆8874億円。2030年度には5兆7589億円まで拡大すると推測され、成長の課題となるシェアリングエコノミーの認知度、法制度の整備、トラブル等の安全面における不安などが解消されれば、その市場規模は11兆1275億円まで伸びるとされている。

この調査によって明らかになったのは、「低価格」であることが利用の理由であるばかりでなく、どのサービスでも「他では利用できないサービスが利用できる」という点を挙げている利用者が一定数いるということだ。

これらの利用者は、企業が提供する類似サービス（民泊の場合はホテルや民宿、対面型のスキルシェアであれば家事代行サービスなど）に比べて高価格なサービスでも利用するかという問いに対し、モノのシェア（売買）以外は半数以上が高価格でも利用すると回答している。

つまり、安いからシェアサービスを使うのではなく、そこに価格以外の別の価値を見出していることが窺える。が、モノのシェアは依然として価格の要素が大きいということでもある。

有料よりは無料、または定額のサービスを選ぶ

人は「50%オフ」よりも「無料」というワードにより反応するということが行動経済学によって実証されている。

グーグルや各種SNSも私たちは当たり前のように無料で利用している。スマホのゲームも無料アプリがたくさんある。これらはもちろん収益を確保する仕組みとして、広告の獲得や、一部のコアな顧客を獲得することで成り立つ設計になっている。

可処分所得が少なくなる中、試してみるような段階のものであれば無料版のサービス・機能で十分だ。

私たちは、常に「無料」という魅力的なワードに刺激されている。

サービスの基本機能などの入り口を無料で提供し、高度な機能や容量などを追加して利用する場合に料金が発生する「フリーミアム」モデルがある一方、利用期間に応じ「使用料」という形で料金を支払ってもらう「サブスクリプション」モデルもさまざまに広がってきた。

サブスクリプションは、モノを販売することで収益を得る長年親しんできたビジネスモデル

ではなく、商品やサービスの利用権を一定期間、継続的に提供するところに特徴がある。KonMariがブレイクしたネットフリックスも、月額の利用料を払って好きな番組を見ることができるサブスクリプションモデルの典型だ。

お馴染みのサービスとしては、アマゾンプライムがある。少ない注文金額でも送料無料になり、音楽やビデオも視聴できるなど、さまざまなデジタルコンテンツが定額で利用できる会員制プログラムである。

アメリカの市場調査会社コンシューマー・インテリジェンス・リサーチ・パートナーズ（Consumer Intelligence Research Partners）がまとめた最新レポートによると、アメリカにおけるアマゾンプライムの2018年10〜12月時点の会員数が、1億人を突破したということだ。日本では、2019年1月時点でアマゾン・プライム・ビデオの会員が509万人。次いでネットフリックスが171万人という調査結果が出ている（ニールセン デジタル調べ）。

音楽といえば、スウェーデンの企業スポティファイ・テクノロジー（SpotifyTechnology）によって運営されている音楽ストリーミングサービス、スポティファイ（Spotify）が有名だ。2019年現在、2億3200万人のユーザーを抱えており、音楽配信サービスとしては世界最大手である。

日本国内では、2019年に「日本サブスクリプションビジネス大賞2019」が開催された。

グランプリは、株式会社トラーナが展開する「トイサブ！」というサービス。これは0～3歳の幼児を対象に、成長に合わせた玩具を選定・届けるという提案型サブスクリプション・レンタルサービスだ。

玩具は1500種類以上あり、個別にプランニングされた玩具が成長に合わせて届く。今まで届けた玩具の総数は6万点以上に及ぶという。

シルバー賞は、美容室のシャンプー・ブロー、ヘアケアに特化した定額サービス「メゾン(MEZON)」(株式会社ジョシー)。クオリティを担保した提携美容室でこれらのサービスが受けられるところが特徴だ。

大手も黙ってはいない。

資生堂のIoTパーソナライズスキンケア「オプチューン（Optune)」がブロンズ賞に選ばれている。

最先端テクノロジーを活用し、日々変わる肌の状態と内外リスクを測定・分析し、今の肌に必要なうるおいや美容成分を瞬時に抽出。自宅に設置した専用マシンから今の肌の状態に合わせて調整されたケアが自動的に提供されるサービスだ。利用者一人ひとりに合わせる化粧品を実現し、サービスを実現したところが新しい。

その他にもカメラ機材のレンタルサブスクリプション、自動車や家電製品、クリーニング、売掛金保証サービスなどという領域にまでサブスクリプションモデルが登場している。

このサブスクリプションの伸びは、所有ではなくデジタルインフラを利用した利用権の購入へとニーズが変わってきていることの表れだと見ることができる。

売れる可能性のあるモノはキャッシュ化し新たな消費に繋げる

収入が減り、社会保障費などが増え、可処分所得が目減りすると、人は手持ちのものを売ってキャッシュを手にしようとする。

それがヤフオク！　やメルカリなどのマーケットプレイスを加速させる要因であり、リユース市場が循環型経済の一端を担う役割に注目が集まる理由でもある。

この流れは、アクセンチュアが挙げたサーキュラー・エコノミーの5つのカテゴリーと同心円状にあるといってもいいだろう。

私が始めたリユース市場向けのプラットフォーム「ウリドキ」は「モノの価値を〝見える化〟し、所有を最適化し、モノを循環させる」ことを使命としている。

メルカリのようなC2Cではなく、C2Bのプラットフォームを形成しているのが特徴だ。

日本人がより積極的にリユースを使いこなすモチベーション、インセンティブとは何なのか。そこを考えていきながら、経済のあり方そのものを変えていこうとしている。

私には根っこになっている体験がある。それはバブル経済の崩壊によって家族が翻弄されたことだ。私の家族もバブルという熱狂の中にいた。そしてそれは泡と消えた。

ときに人を有頂天にし、ときに奈落の底に落とす経済の、その本質の何たるかを知りたいという気持ちが心のどこかに芽生え、紆余曲折があって、起業し、バイアウトを経てC2Bプラットフォーム「ウリドキ」を立ち上げた。

このビジネスモデルにいかにしてたどり着いたか。

そのお話をするために、私のパーソナルヒストリーを絡めながら、バブル経済の頃を概観してみようと思う。

第6章
ウリドキ誕生前夜

私が生まれた頃、時代は動き出していた

1981年、私は東京で生まれた。

その数年前、1977年にアップルがパーソナルコンピューター Apple IIを発売する(当時はホームコンピューターと称していた)。

Apple IIは、世界で初めての「オールインワンタイプのコンピューター製品」だった。つまりそれは、誰でも買ってきて電源スイッチを入れさえすればコンピューターとして使える画期的な製品だったということだ。

その年、企業・研究機関向けのコンピューター市場を牛耳っていたIBMが、パーソナルコンピューターIBM PCを発表する。

日本でも1981年にNECからPC-8800シリーズ、富士通からFM-8、そのFM-8から周辺機能を削り音源を搭載したFM-7(1982年)、シャープのテレビ事業部が開発したX1シリーズ(1982年)が登場していた。

やがて、日本でもインターネットの運用が始まる。計算機科学者の村井純氏らが、慶應義塾大学、東京大学、東京工業大学を結ぶJUNET(Japan University NETwork)=日本の学術組織を結んだ研究用のコンピューターネットワークを設立。これが日本におけるインターネッ

トの実質的な起源とされている。

家族団らんがそこにはあった

私が生まれた1981年前後を見てみると、今私たちが享受しているITといわれる社会インフラの、萌芽の頃だったといえるのではないかと思う。社会の地殻変動が、一般には見えにくかったかもしれないが、今振り返ると着実にこの頃を起点に始まっていたのだ。

そして数年後には、バブル経済が始まろうとしていた。

ニューヨーク・セントラルパークの東南に位置する5つ星の「プラザホテル」。ここで1985年9月に行われた先進5カ国（アメリカ、西ドイツ、イギリス、フランス、日本）蔵相・中央銀行総裁会議で、ドル高是正のための合意が成された。いわゆる「プラザ合意」だ。

これが日本のバブル経済のスタートだとされている。

プラザ合意前日の東京市場を見ると、1ドル＝242円である。それが1985年末には1ドル＝200円を切り、1988年の年初には、1ドル＝128円にまで円高が進んだ。

急激な円高で、アメリカの債券などに投資していた資金に為替差損が発生し、日本の運用資金が為替リスクのない国内市場に向けられ、それを背景に株価が上昇、不動産市場では地価が上昇した。

そうした資産の増大がエスカレーションを起こし、個人や企業の含み益が拡大。担保価値や資産価値が増大することで、それを担保に金融機関が融資に猛進していく。

企業は、融資を元手に土地や株式など本業以外の投資にのめり込む、いわゆる「財テク」に走った。

そしてついに、1989年12月29日、日経平均株価が3万8915円の史上最高値を記録した。

この日は、後に〝バブル絶頂のとき〟として記録に残ることになる。

こんな大きな熱狂と幻想に満ちた経済の動きに、わが家も巻き込まれていく。

私の父は産婦人科医であり、仕事で信頼の厚い人物だった。今でもクリニックの院長を続け、その仕事に対する姿勢は変わらない。そんな父は、私にとっては怖くもあり大きな存在だった。

私は将来、父のように仕事をするものだと思っていたフシがある。特に何かがあったということではなく、そういうものだと思い込んでいた。

その父も、バブル沸き立つ時代の空気を吸っていた。本業とは関係のないビジネスに投資して驚くほどの利益を手にした。その投資益などで得た資金だけで、横浜に自宅を購入し、私たち家族はそこに移り住んだ。

父はいつも仕事で多忙で、子どもの頃に家族旅行などほとんど行った記憶はない。家族のしあわせな思い出といえば、それは横浜の、その家の中にあった。

家族3人で人気テレビアニメや、コンピューターゲームで楽しんだ、なんということはない光景が記憶に残っている。

幼い頃から三国志と将棋、テニスを父から教わっていた。それが父とのふれ合いだった。

だが、そんな生活は長くは続かなかった。バブル経済の崩壊が始まったとされる1991年、私が小学校4年生のとき。わが家もその激震に直撃されたのである。

バブルとともに崩壊した当たり前の生活

実は、歴史として見れば、1989年末あたりから株価がハイペースで下降線をたどっていることがわかる。

1990年末の日経平均株価の終値は2万3849円。バブル絶頂期といわれた、わずか1年前の1989年12月末の終値は3万8915円。

実に1万5066円もの下落が起こっていたのである。

しかし、バブル崩壊が1991年からとされるのは、1990年末の頃はまだまだ日本人がバブルの狂乱に浮かれていたからである。「1990年には平均株価5万円」「数年で10万円」と強気の株価見通しが流布されていたのが実情なのだ。

実態を見ずに、人に負けじと豊かさを追い求めた人々の夢は煽られ続けていた。

だが、現実は違った。父は莫大な個人負債を抱える事態になり、泣きっ面に蜂とでもいうのだろうか、詐欺にまであい、いよいよにっちもさっちもいかず、自宅を手放すことになってしまった。

横浜を離れてからは、いくつかの地方で暮らした。

家庭の中の空気はどんどん重くなっていったが、そんな状況でも、私の中学生活といえば、硬式テニス部に入り、家では漫画を読みふけるなど、他の中学生たちと変わらない生活を送らせてもらっていた。

初めてのパソコン、インターネットとの出合い

中学生のとき、もう一つ、私を夢中にさせたものがあった。パソコンである。

私が中学に入る前、1992年に日本で初めて商用インターネット・サービス・プロバイダー（ISP）が誕生していた。

１９９５年、私は父に、オールインワンマルチメディア家庭用パーソナルコンピューターという触れ込みのＮＥＣ「98MULTi CanBe」というパソコンを買ってもらった。

インターネット回線に好きなだけ繋いで遊んでいたら、当時は従量課金が当たり前だったので、気がつくと10万円もの通話料金が請求されてしまい、「お前、何やってんだ」「海外から請求がきているぞ」と父に怒鳴られたこともあった。今思い出しただけでも本当に申し訳ないと思う。

あるとき、パソコンをいじりながら、テレビのニュース番組を見ていた。そこでインターネットのことが取り上げられていたので、目が行ったのかもしれなかった。

インターネットというものは、そもそも情報伝達手段でしかなかった。

１９９３年に欧州原子核研究機構（ＣＥＲＮ）がWorld Wide Web（ＷＷＷ）の利用を開放したことで、イリノイ大学の米国立スーパーコンピューター応用研究所（ＮＣＳＡ）に所属するマーク・アンドリーセンらが、革新的なウェブブラウザである「NCSA Mosaic」を開発・リリースした。このことによってアカデミックな世界で、情報伝達や論文の閲覧などが行われるようになったのがインターネットの初期の姿だ。

つまりそれは情報伝達網に過ぎなかった。

「ただ、」とそのとき見たテレビはリポートしていた。

コンピューターが繋がった回線の先に新しいコンテンツが生まれ始めている。そこには人がどんどん集まってくる。コンテンツが存在する場所には、一定の住所が割り振られて、現実の世界で土地に価値があるように、その領域に価値が生まれてくる。人が集まれば、あらゆる種類のテナントが出現し、さまざまな取り引きが行われるようになるとそのリポートは予測していた。

この話に私は無性に興奮した。

私のパソコンの先に、回線の先に、やがて大きな街ができるのだ。手元にパソコンをもっていたがゆえに、リアルにその可能性を感じ取ったのかもしれなかった。ワクワクした気持ちが止まらなかった。

1995年にウィンドウズ95が発売され、1996年にヤフー株式会社が国内初の商用検索サイト「Yahoo! JAPAN」を開始、アメリカではアマゾンが動き始めていた。

1997年になると、インターネット・ショッピングモール「楽天市場」がオープンし、「カカクコム」の前身となる「コア・プライス(¥CORE PRICE¥)」がオープンする。まさしく回線の向こうにコンテンツが、街が生まれつつあった。

いつか私も自分の手で仮想都市をつくる。あの頃、そう思ったからこそ、起業し、今リユースのプラットフォームを運営している自分がいる。

いちばん好きな映画は何かと聞かれれば、2009年に公開された細田守の長編オリジナル作品「サマーウォーズ」だと即答する。私に限らず、ITベンチャーの経営者ならば、誰でも好きなのではないかと思うほどだ。

この映画をご存じの方も多いだろう。インターネット上の仮想世界OZ（オズ）に、人々はパソコン、携帯電話、テレビなどから自分のアバターを操って参加する。人々はそこで現実世界さながらにショッピングやゲームを楽しみ、あるいはイベントに参加したりする。リアルな世界ともリンクしていて納税や行政手続きなどのさまざまなサービスも利用できる。

この映画のストーリーは、謎の人工知能ラブマシーンが登場し、OZの世界を、つまりはそこにリンクしている現実世界も巻き込みながら、危機的な状況に追い込んでいき、それに主人公たちが立ち向かっていくというストーリーだ。

この映画、かつて実際にあった「セカンドライフ」というサービスを思い出させる。2003年にスタートした野心的なプロジェクトである。

セカンドライフでは、ユーザーがアバターとしてもう一つの人生を生きる。そこにあるのは人生を過ごす「仮想世界」なので、ゲームのように敵に勝つとか、モンスターを倒すといった目的はない。ただ、リンデンドルという仮想通貨が設定されていて、それをもとに経済活動らしきものが行えた。

この頃、私はすでに起業していたので、セカンドライフ内のイベントのスポンサーになったことがある。同様にさまざまな人が、ここにビジネスチャンスがあるのではないかと期待しセカンドライフに乗り込んだのだが、これといって何も起こらずに忘れられていった。

「サマーウォーズ」は、この「セカンドライフ」をモチーフにしていたのではないかと思う。そして、この世界こそが、私が思春期にワクワクが止まらなかったネットの先にできる新しい「街」のイメージだった。こういう街づくりをしたい！　と思った熱量を思い出させてくれるので、この映画は忘れられないのだ。

しあわせな家族の時間を取り戻すために

漫画やパソコン、インターネット、テニス部……。

一見、充実しているようで心の中では、横浜のあの家に帰りたいと常に思っていた。

あるとき意を決して、父にもその思いを伝え、横浜の進学校を受験することになった。テニス部を辞め、週末も年末年始もなく、なりふりかまわず受験勉強に集中した。ストレスで過食気味になり、体重が89kgにもなった。

その甲斐あって、東京大学合格者出身高校のトップ10に常にいるような進学校に合格し、横浜に帰ることができたのだが、家族が戻ったのは、当然ながら私が願っていたあの家ではなかった。

横浜に戻ってすぐ、バブル崩壊当時のさまざまなわが家の事情を、父から初めて聞き、ショックで頭が真っ白になった。

あの家に住めないとわかったときに、その高校にいる意味がわからなくなって徐々に勉強にも身が入らなくなってしまった。その頃は、ずっと父のことを考えていたように思う。

私は一人っ子なので、男として生まれてきたからには父親を超えなければいけないと考えていた。

私の中で父は絶対的な存在として君臨していた。前にも書いたが、一人の職業人として見ても、父にはたくさんの感謝やリスペクトが寄せられていた。そんな父を今でも心から尊敬しているし、辛い経験をしているのに、それを私に隠し、何不自由なく育ててくれた父にはいくら感謝してもしきれない。

ところが、父を超えなければいけないと考えている自分には、一体何があるのか。

結局、自分が引っかかっているものは何だったのか。それはこれだけ人望を集めていた父でも、ビジネスではバブルの熱狂の中でかんたんに失敗してしまうということだ。

ここをどう自分が挽回していくのか。

それが私の中で、ものすごくしっくりきたアプローチだった。

バブル崩壊に翻弄され、父が失敗しなければ、おそらく私は屈託のない子ども時代を過ごし、父の跡を継いでいただろう。

しかしそうはならなかった。あのとき、父に一体何があったのか。それを知って、自分の力で巻き返す。父を超えて、父に恩返しする。それが、私が考えついたことだった。

そこから私は俄然、ビジネスに興味をもち始めた。

ビジネスはコミュニケーションだと知る

私は、純粋に商いの不思議に興味が湧いた。

たとえば、ミネラルウォーターを売るサービスをしたとしよう。元値は100円だとする。それを仕入れ、氷の入ったグラスに移し替えてサーブする。するとそれは、数百円の商品になる。この差益は一体何を意味するのか。

この部分こそ、空間やコミュニケーションがつくり出しているものなのではないか。もちろん氷代やグラスの洗浄にかかる人件費、あるいは家賃や光熱費といったランニングコストなど、こまかく洗い出せば必要なコストが乗っているとみなすべき部分もあるだろう。しかしそれだけではない。

空間やコミュニケーションという付加価値があるからこそ、人はその差分を納得する。そうなると、場のありようやコミュニケーションの主体となる一人ひとりに値札がついているようなものだ。

この気づきはある種、10代の自分には驚きだった。モノの価値は不変だと思い込んでいたからだ。

水は水。それなのに人というファクターによってその価値が変わってしまう。

自分は、どうやってこの差益を生むファクターを手にするのか。いつしか、そればかり考えて過ごすようになった。

真似をすることにもオリジナリティが宿る

結局、自分の好奇心の思うままに、商売の現場で数年間、仕事をしてみた。もちろんそれは人生で初めての働く機会だった。

この経験から得たものは大きく2つだ。

どんな仕事でもそのやり方には理由がある。まずはそれを丁寧にこなし、徹底して体に染み込ませる。そうすれば、既存の仕事はかなりのレベルでできるようになる。これは起業するときの私の考え方にも繋がっていくものだ。すべてをゼロから始めるのではなく、既存の仕組み、フレームワークを徹底的に分析、理解し、自分が目指すものに必要ならば採り入れる。そういうスタンスはこの時代に身につけたように思う。

もう一つ。既存のやり方を身につけただけでは、けっしてそれ以上にはなれない。

完全にスタイルをマスターしたつもりでも、そこに個人差が出る。人は自分に足りないものを補おうとするからだ。何かを身につけるという行為そのものに、独自性が潜んでいると言い換えてもいいかもしれない。

だから私は大学時代に最初の起業をしたときに、そのプロセスをどんどんオープンにしていった。なぜなら、真似されたとしてもそれはけっして同じ結果はもたらさない。そういう確信があったからだ。だから私は名もなき私たちのプレゼンスを上げるために、悩める私たちの姿を惜しげもなく公開していった。

現場を知って、さらに経営を学ぶ

私は、本格的に経営を学びたいと思った。そのために、大学に進学し経営学を学ぼうと決心していた。

そのことを話さなければいけない人がいた。

わが家のバブル顛末を聞いて以来、あまり話さなくなった父に近況を報告しに行った。父は私を医者にするつもりだった。そんな父からすれば、私のことなどフラフラしているようにしか見えなかっただろう。だから叱られる覚悟だった。

すると、父はこんなことを言った。

「お前は俺の息子だけど、俺じゃない。まったく違う人間だ。お前は大丈夫だ。やりたいことをやれ」

そのとき初めて、父に一人の人間として認められたような気がした。父のその一言で、私は迷うことなく経営学部に進学した。

「今、行動を起こせ」と鼓舞する教授との出会い

私が入った大学の経営学部に、笠原伸一郎先生がいた。

ゼミ生だったわけではなく、一般授業をとっただけなので、先生とのコミュニケーションがそれほどあったわけではない。

だが、印象に残る話があってよく覚えている。

先生は
「経営学は金儲けの方法を研究する学問ではない。私たちの社会が目指すべき方向を指し示してくれる学問である。

そもそもお金とは、それぞれの人の夢を実現するための手段であり、社会をより良い方向に変えていくために必要な手段である」

と経営学の何たるかを説き、自ら起業して会社をつくることは社会に貢献するための近道だとも話していた。

その笠原先生が「過去は過ぎ去ったもので、未来は幻で、現実は今しかない」と授業で話したことがあった。

これはかなり私の胸にぐさっと突き刺さった。

「過去の栄光にしがみついている人がいるとすれば、それは過ぎ去ったものだから忘れなさい。いずれこうしたいと未来を語っている人は、たいてい何もやらない。今しかない。この1分1秒の現実しかないのだ。

君たちは今、経営学部に来ている。ホリエモンやサイバーエージェントの藤田氏のような起業家になるんだったら、今、今日、行動を起こすような人でなければ、起業家にはなれない」

先生はそう語っていた。

いきなり頭をガツンと殴られた感じがした。

商売の現場でそれなりの実績を残したがゆえに、それにしがみついてどこか鼻高々で流されていた自分がいた。

もちろん起業することは当初から頭にあったことは間違いないが、大学を出て、サラリーマンを経験してからでも遅くないと漠然と考えていた。

先生の一言は、けっして私一人に向けられたものではないが、どこか自分自身を鋭く見透かされて放たれた言葉のように聞こえた。

「起業したいと本当に思っている人は、今日の授業が終わったら、そのまま本屋に行き、起業するための本を買って準備するような人だ。それができないのであれば起業など一生かかってもできない」

その言葉に、じっとしてはいられなかった。

言われたように、私はその日のうちに本屋に行き、ホリエモンの本や会社法の資料を買って帰った。それをその日のうちに読み、会社設立に必要な手続きにはどんなことがあるのか、必死でメモを取った。

そして、チームが必要だと思った。

第7章
学生起業家としてスタートを切る

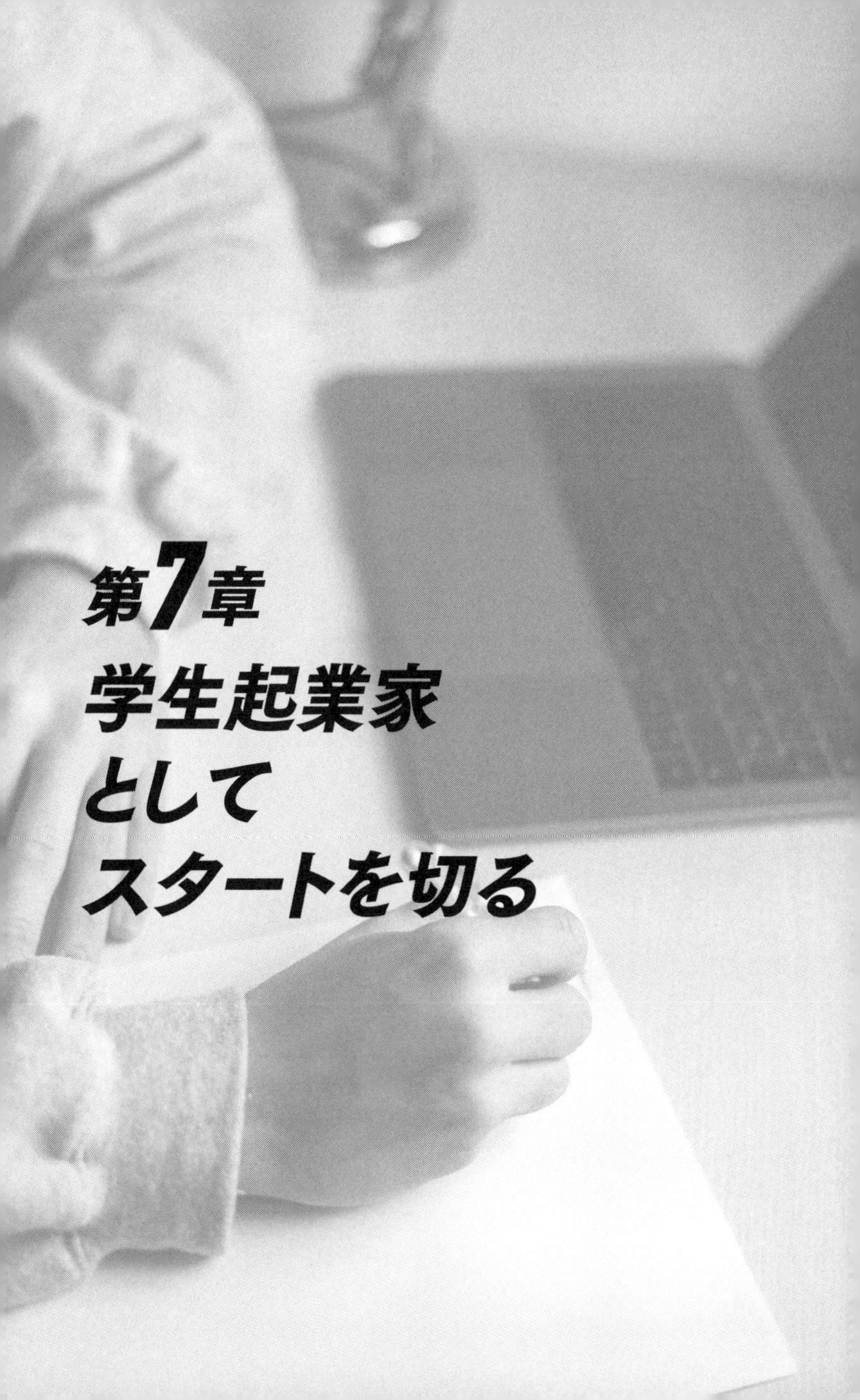

前章に書いた衝撃的な授業を受けたのが、2005年1月。2月には成績が出て留年か進級かがわかる。私は当時、仕事を続けていたこともあって、授業の出席日数が足らず、残念ながら留年が決まっていた。

私は、私と同様に留年する仲間を誘うつもりでいた。留年というのは、けっこう悔しいもので、自業自得だとわかってはいるのだが、やはり一度は落ち込むものだ。同級生より後れをとったという劣等感にさいなまれる。

そういう状況の中で、プライドが高そうで、ナニクソと思っている人たちを巻き込むことにした。

同級生よりも1年分の時間の余裕をもらった彼らは、4年で卒業していく仲間よりも、より付加価値の高い自分になって卒業したいと願っているはずだ。そう仮説を立て、留年生限定で声をかけていった。

「せっかくならこの1年間、面白いことしないか。俺、会社つくろうと思っているんだけど、一緒にやらない?」と何人かに誘って回った。この思惑は当たり、5人に声をかけた段階で、すぐに4人が集まり、実際に起業するときには3人がボードメンバーとして参画してくれた。

だが、実はビジネスのアイデアをもっていたわけではなかった。

すぐに行動に移す、起業するということが何よりも大切で、起業してから事業を考えればいいと思っていたくらいだった。

2005年、それはIT業界にとってエポックメイキングな年だった

2000年に、高度情報通信ネットワーク社会形成基本法、いわゆるIT基本法が成立している。その基本理念にこうある。

「すべての国民が、高度情報通信ネットワークを容易にかつ主体的に利用する機会を有し、その利用の機会を通じて個々の能力を創造的かつ最大限に発揮することが可能となり、もって情報通信技術の恵沢をあまねく享受できる社会を実現」

いかにもお役所的文言だが、ITを利用する機会とメリットを享受できる機会をすべての人に等しくつくり出すということが謳われている。

この年、総務省が発行する『情報通信白書』のサブタイトルは〈ITが切り開く21世紀〉とされ、ITが特集のテーマとなった。年末には、「IT革命」が新語・流行語大賞を受賞。いよいよITが国民レベルにまで浸透し始めた。

私の学部学生時代は、今誰もが知っているようなIT企業の多くがスタートを切っている。

2000年に日本でアマゾンがオープンし、コア・プライスが「カカクコム」として生まれ

変わった。

2004年には、アメリカでフェイスブックが誕生し（日本語でのサービス開始は2008年）、日本ではミクシィがサービスを開始している。ファッションショッピングサイト「ZOZOTOWN」がオープンしたのもこの年だ。

そして笠原先生の授業を受けた2005年には、動画共有サイト「YouTube」がローンチしている。

ビジネスのアイデアは何か。それを探るために起業プロセスをブログで発信

笠原先生の言葉もこんな時代の空気を摑んでいたのだろう。

ぐんぐんと世の中は動いていて、全容など定まらぬまま、またその次へと時代が動いていく。そんなドライブ感溢れる世の中で、動くか、動かないか。やるかやらないのか。悩んでいる暇などないのだ。それをあの言葉で伝えてくれたのだろうと思う。

私は2005年2月に、集めた留年仲間と起業の準備を始めた。

何も知らない学生が会社を設立するのはなかなか大変だった。新しくなった会社法を調べ理

解し、定款をつくり法務局に行って登記するなんて、誰もやったことがないので具体的にはどうしたらいいのかがわからない。

そこで、そういう状況そのものをブログで発信してみることにした。今ならそれはツイッターの役割かもしれないが、当時はまだツイッターがなかったのだ。

とにかく情報が欲しかったので、逆にとことん自分たちのことをさらけ出すことにした。自分たちの事業の実体がまだなかったことから、発信することは自分たち自身のことかまたは未来へ向かうプロセスしかなかったのである。

ブログのタイトルも正に自分たちをさらけ出したものにした。留年生たちだけでつくったブログという意味で「留年起業」というのがそのタイトルだ。

留年した冴えない大学生たちが、起業に向かって苦悩する姿、日々の葛藤、気になる出来事などなど。ファクトと意見を交えてつらつら4人でつづり始めた。

気をつけたのは、きっちりとルールを決めること。チームで一つのブログを運営していくためにルールの徹底はマストだ。

1日に2回投稿する。時間も決めておく。偶数の日と奇数の日にエントリーするカテゴリーも決めておく。ブログを認知してもらうために、他のどういうブログにコメントやトラックバックを入れていくのか。そういうことを考えて運営していった。

結果的にそれは、私たちの中で何が起きているのかがすべてわかるブログになっていった。そこを読めば当時の現状がすべて明らかになっている。

私にとってみれば恥ずかしい部分もあるのだが、そのすべてを読んでくれていた読者が後に就職の面談にやってきたり、大人たちも私たちが成長していく過程を面白く読んでくれていたりしたらしい。

起業についての大変なあれやこれやを書いていると、いつの間にかいろいろと教えてくれる人も出てきた。当時、そのブログを通じて知り合った経営者の中の数人が、今のウリドキにエンジェル投資しているのだから、人生、行動次第で何がどう変わるかわからないものである。

自分たちをさらけ出すと、不思議と人と情報が集まってくる

もちろん私たちは、会社設立の過程ばかりを投稿していたのではない。ビジネスのアイデアについてもオープンにしていた。

私の中で、ビジネスアイデアというものは、誰にも知られずにローンチしなければ真似されてしまうという思いがなかったわけではない。

しかし、仕事から得た経験がそうではないといっていた。

人は、いくら真似をしても同じものはつくり出せない。

今この瞬間を切り取ったものだけだったら、真似をすることは可能かもしれない。しかし、それは実は大したことではないのだ。

0から1、1から10、10から100へと成長していくフェーズがあるとしたときに、今、1の段階のものをごっそり得ることができたとしても、同じ100の成長をその会社や人が遂げられるのかといえば、それは絶対にそうはならない。アウトプットは、時間を経るにつれ、行動した人によって、あるいは会社によって異なっていくからだ。

起点で同じものを摑んだつもりでも、少しのパースペクティブの差が後々大きな角度の差となってくる。

だから私は真似されるリスクよりも、情報を発信することで情報が集まるメリットをとった。

当時、私たちは「ライブドアブログ（livedoor Blog）」を使っていたのだが、そのブログランキングで2位になるまでにこのブログを成長させることができた。

そこまでたどり着くと、これまでとは違う地平が見えてくる。

2006年5月から施行された「新会社法」で、資本金が1円からでも株式会社を設立できるようになり、起業ブームが沸き起こっていたこともあって、起業した人たちの交流する場があちらこちらに設けられ、私たちも定期的に出席するようになった。

すると不思議なもので、ブログで上位にいたというだけで、名刺交換の際に私に列ができるようになった。まだ何者でもない学生の私にである。

何の実績もなかった私たちなりに、今、できることは何なのか。

自分たちのもっているアイデアを、世の中にあるビジネスのパーツとかけ算したらどのようなチャンスがあるのか。

私は仲間と自宅マンションで起業して、そこで四六時中ビジネスアイデアのブレストをしていた。

そしてネット上でモノを売買するビジネスをつくり上げるということだけを決めて、2005年に株式会社プリマプロジェクトという会社を起こした。社名の由来はフリマとプライマル(primal：最も重要な)をかけ合わせた造語である。

思い起こせば、中学生のときにワクワクした、回線の向こう側に街をつくるという目標に向かってついに最初の一歩を踏み出したのだ。

ユーザーであることの大切さ。それが失敗の中で気づいたこと

最初に取り組んだのが、ベビー用のカスタムジュエリーの販売だった。産婦人科医の父の影

響も受けたのだと思う。また、自分自身もわりとアクセサリーを身に着けていたこともあって考えついたサービスだった。

子どもが生まれたときの足のサイズをリングにして、それをネックレスとして記念にする。子どもが成人するタイミングでプレゼントできる、メモリアルなものとして需要があるのではないかと考えてトライしてみることにした。

それが、メモリアルジュエリーブランド「ルキルネ」である。

これは、どこかに存在している商品をもってきてネットで売るという類いのものではなく、製品自体を自主開発するプロジェクトだった。

そのために職人を探しに御徒町に行くなどもした。

それと並行して、サイトのカートシステムを自分たちで構築し、ＥＣの設計や開発などを学んでいった。

しかしなかなか売り上げには結びつかなかった。

産婦人科のクリニックなどにフライヤーを置いてもらったり、ブログで告知したりしたものの苦戦は続いた。

だが、この話を進める際に、オーダーメイドジュエリーを生産できる工場を押さえていたので、「昔の指輪や結婚指輪をリメイクする」「ジュエリーをネクタイピンに入れて夫や息子にプレゼントする」といったストーリーをイメージし、いくつかのラインナップを考えてみた。

するとあるとき、ブログ経由で注文が入ってきた。

それはシングルマザーからの依頼だった。成人を迎える娘に、別れた夫からもらった指輪をリメイクして渡したいという。

2~3カ月の製作期間をもらって納品した。

すると、ブログにもコメントが届き、お礼の手紙までもらった。

娘に渡すときにそこにいない父親の話などをし、お互いに泣きながら胸につかえていた思いを話すことができたのだという。

娘との絆が生まれた大切な一日になりました、とお礼の電話までもらった。

商売の素晴らしさ、人をしあわせにするビジネスの魅力に感じ入る出来事だった。

しかしこのeコマース事業は、1年頑張ったものの、結果的にはうまくいかなかった。

そして次の一手を探すブレストが続いた。

市場を分析し、eコマースにはやはりアパレルが向いているということで挑戦してみたこともあった。

当時のインターネットには今ほど情報が溢れていなかったので、何かを知りたければそれに関する本や雑誌を買い込んでくるというのがまずやることだった。

カスタムジュエリーを扱うならば、その類いの雑誌を。そこからトレンドを読み取り、より刺さる表現や商品のあり方を考えていた。

アパレルでも同じだ。『CanCam』や『S Cawaii!』といった女性誌を購入し、用語を知ることから始めたりした。

そして2006年10月3日に、ジュエリーのラインナップと並行して立ち上げたのが、全国のアパレルメーカー向けのプラットフォームを提供することを目指した「みんなのファッションサイト view」である。

しかし、これも苦戦した。その根底にあったのは、私たちの中の、女性ファッションの世界への距離感である。

たとえばある号の『CanCam』の表紙には、「エビちゃんOLでいく? vs 優OLでいく? vs もえカジでいく?」といったキャッチが賑々しく並んでいた。蛯原友里、山田優、押切もえに託したファッションとはどんなものなのか。彼女たちが女性たちにどう受け入れられているのか。正直なところ肌感としてピンとこない。わからないのだ。その世界が自分のものとして入ってこない。

考えてみると、ここまでの取り組みに共通していることがあった。それはつまり自分たちがユーザーではないということだ。

ベビーリングを始めたときも、メンバーの中に誰も子どもがいる人はいなかったし、子どもとの接点もなかった。女性ファッションもユーザーではない。

起業仲間はほとんど男性で女性が一人しかいない中で、そうした企画を考えていても会議が弾むことがなかった。

そこにある空気は、ＷＡＮＴではなくＭＵＳＴであって、本当にこのメンバーでやりたいことは何だったのかを見失っていた。

会議は重く、強制しなければ物ごとが進んでいかない雰囲気に支配されていた。こんなことだったら、アルバイトでもして気軽に稼いでいたほうが良かった。誰も口には出さなかったが、そんなふうに思っていたメンバーがいたのも確かだと思えるような状況だった。

稼ぐことだけが大事なのであれば、私は仕事を続けながら、大学卒業後に就職すれば良かった。他のメンバーも、普通に単位をとって卒業と同時に就職すればすむことだった。

何のために起業したのか。私は悶々としていた。

その日、会議はいつも以上に煮詰まったので、休憩を挟むことにした。

たわいのない話が始まり、メンバーの一人が「そういえば、この間の『ジャンプ』読んだ？」と投げかけたことから、メンバーの中から漫画の話がどんどん飛び出てきた。

男性メンバーだけでなく唯一の女性メンバーだった彼女も、まったく分け隔てなく、昔の漫画の話をしたかと思えば、登場人物の比較を始めたり、ストーリーの好きなポイントを披露し合ったりしていた。

それは久々に見たみんなの楽しそうな顔だった。

もちろん私も中学時代にはよく漫画を読んでいたから知っている。

漫画の話が楽しくないわけがない。会議の静けさが嘘みたいな場の輝きがあった。

瞬間的に、これを仕事にすべきなんじゃないかと感じた。自分たちが本心から楽しいと思える、私たちが欲しているもの。それが根本にあれば、やっていけるはずだ。私たちにとってはそれが漫画だったのだ。それにようやく気づいた瞬間だった。

第8章
ＥＣサイト
「全巻読破ドットコム」
スタート

『ジョジョ』を一気読みしたい。深夜の衝動に気づきが！

漫画のことであればメンバー全員が当事者になれる。ユーザーの気持ちになれる。

そのとき私が思い出していたのは、自分の休日の過ごし方のことだった。

私は休日にはたいてい、一人でできる何かにのめり込む癖があった。映画を見る、ゲームをする、あるいは本を読む。とにかくこもりがちになる。

ときには漫画を全巻一気読みする日もあった。

あるとき、１９８６年から連載が始まった『ジョジョの奇妙な冒険』（荒木飛呂彦）の単行本全巻セット（当時全63巻）をすべて買い揃え一気に読もうと意気込んで、街に車で繰り出したことがあった。

いくつかの本屋を回ってみると、「予約であれば、取り揃えられるんですが、今は無理ですね」という返事。

そうではなく、私としては今、この休みの日に読みたいと思ってわざわざやってきているのだ。

仕方がないので、その店で揃えられる巻をすべて買って、他の店へ行く。そこでも在庫の確認をしてもらって、あるものだけを買う。

4店舗ほど回っただろうか。ようやく当時発行されていた単行本を全巻揃えることができたという経験があった。

これはものすごい労力だった。車で回っていたからまだなんとかなったものの、ふらっとお店を回ってできることではない。

もし運良く1店舗で全巻揃えることができたとしても、車で行っていたか、タクシーでも呼ばない限り、重くて持って帰ることはできないだろう。

漫画でビジネスをしようとしたとき、この経験を思い出した。

好きな漫画こそ一気に読みたいはずだ。

ネットで注文できて全巻セットで届けてくれるサービスには需要がある。現に私は何巻セットであろうと、全巻を一気に読みたい衝動に駆られる。同じ思いの人たちが必ずいるはずだ。そのことは、サービスのローンチ後、すぐに明らかになった。

その頃には、私たちはサイトをつくる当時の技術を概ね習得していた。私の自宅マンションの一室で夜中まで作業して、おおよそ3週間ほどでつくり込んで、サイトをオープンさせた。

それが、中古漫画を全巻一式で購入できるECサイト「全巻読破ドットコム」である。

全巻読破ドットコムローンチのリリースを打ったのが２００６年10月16日。するとわずか１日で１万人ものユーザーが来訪してくれた。

これには自分たち自身がいちばん驚いた。ライブドアブログでアクセスランキング２位を獲得した「留年起業」ブログからどれだけ誘導しても、そこからサービスサイトへの流入はせいぜい１日１００人くらいのものだった。

それがサイトを立ち上げたばかりの、ＳＥＯもまだ効いていないタイミングでこれだけのアクセスを得られたのは、とてつもなく大きな可能性を秘めたニーズを掘り当てたという確信を得るには十分だった。

今までやってきたメモリアルジュエリーブランド「ルキルネ」や、みんなのファッションサイト「view」も、苦労した分、もちろん思い入れは多分にあった。

だが、起業したばかりで４人しかいない体制で、これは経営判断として全巻読破ドットコムに絞るべきだと即座に決断した。

そこからは、株式会社プリマプロジェクトは、全巻読破ドットコムに絞って事業を続けていくことになる。

私は攻勢をかけた。ローンチから約半月後の10月31日に、今度は全巻読破ドットコム漫画全巻プレゼントキャンペーンを実施した。その内容は、ブロガー限定３人に「お好きな漫画の全巻セット」をプレゼントするというものだ。キャンペーンに申し込み、全巻読破ドットコムからのメールに記載されているキーワードを使ってブログの記事を書くことが条件。そうやって、コンシューマーの発信メディアであるブログを通じて多くの人に関心をもってもらい、全巻読破ドットコムのプレゼンスを少しずつ上げていった。

ブロガーの力、古本屋とのネットワークで急成長

2005年から2006年にかけて、総務省がブログとSNSの利用登録者数の推移を追いかけた3回の実態調査がある。

それによれば、

2005年3月：335（ブログ）／111（SNS）万人
2005年9月：473（ブログ）／399（SNS）万人
2006年3月：868（ブログ）／716（SNS）万人

と、この頃、ブログやSNSが爆発的な勢いを見せていたことがわかる。

この数字は単純な利用登録者数の合算なのだが、もちろん、いくつものアカウントをもつ利用者もいるので、実際の利用者がこれより少ないだろうことは推測できる。また、そのアカウ

ントがどれだけアクティブなのかということもこの数字からは読み取れない。

しかし、2006年の都道府県別人口でいえば、2位の神奈川県（883万人）や3位の大阪府（881万5000人）に匹敵する人数の人たちが、ブログやSNSのアカウントをもっていたというのは、私たちが初めて出合う社会状況であったことは確かだ。

2006年というのは、実はライブドアショックがあった年でもある。日本のブログ界の一翼を担ってきた「ライブドアブログ」を運営するライブドアに強制捜査が入り、堀江貴文社長（当時）が証券取引法違反で逮捕された事件だ。

良くも悪くもブログの存在感は大きなものだった。

そこで活発にアウトプットしているブロガーという存在に全巻読破ドットコムの存在を知ってもらい、彼らの投稿を通して多くの人に全巻読破ドットコムのプレゼンスを上げていこうという作戦だった。

全巻読破ドットコムの最初の利用者は20代の女性だった。

注文は『スラムダンク』。

この注文が忘れられないのは、初めてのオーダーだったことが最も大きいのは確かだが、実は、私たちは『スラムダンク』の在庫をもっていなかったという事情もあった。

カスタムジュエリーが受注生産だったこととの流れで、まずオーダーを受ける場としてのサイトをつくり、受注後、全巻を揃えに走るということをやっていた。

やり方は単純だ。当時のECサイトでは注文が入ってから発送まで、7日から14日ほどの時間的な猶予をもらっていた。

なので、その期間にユーザーに代わって足を使って全巻揃える。それが最初の全巻読破ドットコムの姿である。最初は、何がどれくらい売れるかもわからなかったことと、何より在庫を潤沢に揃えられるほどの資金がなかった。たとえ薄利だとしても〝全巻漫画セットを買うなら全巻読破ドットコム〟というデファクトスタンダードのポジションをとりにいった戦略である。

全巻セットの注文はどんどん入ってきた。注文データが貯まっていくと同時に、資金も少しずつ増えてきたので、徐々に在庫をもつようになっていった。

このビジネスとしては、つまるところ物量、スケールメリットをどうやって出せるのかということが大事になってくる。

そのために、漫画の実写化情報をこまめにチェックし、いち早くキャッチして古本屋でまだ値が上がらないうちにそれを確保するなどということにも取り組んでいた。実写化された漫画は必ず読者が増えるからだ。

私たちのビジネスは徐々に知られるところとなり、『週刊AERA』(朝日新聞社)2007年5月21日号で取り上げられた。あるいはまた、多いときだと年間8回ほど、ヤフーニュースに取り上げてもらったこともあった。

ユーザーが増えていく中で私たちは気づいた。サービス認知度が高まれば高まるほど、リピーターは増え安定供給が求められていくにもかかわらず、圧倒的に在庫が足りないということに。

そこで古本屋オーナーや店長に話しに行った。定期的に漫画本を供給してほしいという交渉である。もちろんB2Bの取り引きとして仕入れ値を下げてもらう条件で。

ショップ側はその頃まだEC化が実現できていない場合が多く、世の中ではアマゾンや楽天が勢力を伸ばしている時期で、古本屋オーナーには間違いなく危機感があった。

そういうタイミングで私たちが定期的に漫画本を買い取るということは、いわばECにおける販売代行を担うという提案に等しかったので、どの古本屋でも私たちは歓迎された印象がある。「億単位の在庫があるから、協力して販売してくれるのならぜひ」という話をしていただいたこともある。

結局、60店舗ほどの古本屋の在庫を、私たちのシステムと連携することができた。

その結果、全巻読破ドットコムに注文が入った時点で、ネットワークで繋がった店舗の在庫状況がすぐさま確認できるようになった。全巻揃うようにいくつかの店舗からピックアップして発注し、揃えることができれば全巻セットの出来上がりである。

私たちが漫画を買いたい人と売りたい人の間をつなぐハブになったわけである。

リユース本部ECサイトが稼働し、本の循環が途切れる

古本屋と連携するようになったあるとき、POSでネットワークを組んでいたリユース店舗がパタパタと潰れていった。

リユース店舗を多数展開する本部側がネット販売の強化に乗り出したからだった。

ECサイトでモノが売れるのだったら、そこを自分たちでも取りに行くという発想だったと思うのだが、このことで何が起きたかといえば、店頭在庫を店舗と本部と私たち全巻読破ドットコムで取り合う構造が生まれてしまったということだった。

そうなると、たとえば『ONE PIECE』といった人気漫画は店頭に置いておけば絶対に売れることがわかっているのに、ネット販売のためにどうして本部や、ましてや私たちのような外部のベンチャー企業に渡さなければならないのかという雰囲気が店舗側に生まれてくる。

が、しかし私たちが関わった段階ではそのような問題は発生せず、本部側のECサイトが絡んできたときに、なぜ店舗側の意識が変わっていったのだろうか。それはおそらくこういうことだ。

あるリユース店舗の商圏内に、団地や大きなマンションなどがあったとする。

そういう状況だと、住民の人たちが、リユース店舗で何かを購入する際に、家に眠っていたモノを売ろうとする。あるいは、サラリーマンが自宅への帰り道の途中で、駅の近くの古本屋に寄って、会社を出るときにカバンに入れた、もう読んでしまった本を何冊か売って、今度は読みたい本をその場で買っていったりする。そんな利用状況が街のリユース店舗では毎日のように生まれている。

消費者のそういう行動様式によって、店舗では常に潤沢な在庫が確保できていた。それゆえ、それを私たちがネット販売することは、販売チャネルが増えるという意味で歓迎された。本部もEC事業部を立ち上げる。結果、需給バランスが崩れた。

そこでいちばんの問題は、彼らはオンラインで売れたモノをもう一度手元に戻す仕組みをもっていなかったことだ。

たとえば、楽天で店舗を出店したとする。もちろん本はどんどん売れていく。ネットの効果、広がりは商圏の顧客相手に実店舗で商売をしているのとは訳が違う。

だが、楽天で漫画を買ったユーザーは、読み終わってもわざわざ楽天に出店していた店舗に売り戻しには来ない。

店舗では成立していた漫画本の循環が成立しなくなるのだ。

ネットで売れたモノが返ってこないとなると、店頭から在庫がどんどんなくなっていく。たとえていうなら、貯水タンクの蛇口（ネット販売）が開きっぱなしでどんどん水（漫画本）がなくなっていくような状況だ。いったん売り上げは上がるものの、その勢いが凄ければ凄いほど、すぐに在庫は底をつく。

その結果、最終的には店舗経営が立ち行かなくなっていく。その状況が、店舗とPOSで繋がっている私たちにはひと目でわかった。

そうなると、店舗側からはまず私たちの発注に制限がつくようになった。

一緒に発展していこうという間柄だったはずが、競合関係になってしまい、人気ランキングに入っている漫画の発注が制限されるようになってしまった。

それでも私たちはなんとか関係を維持したいと考えていたので、本部が展開するECサイトの買い取りシステムをテコ入れしますという申し出をしたのだが、それは受け入れられなかった。

そこで私たちは、ネット買い取り事業部を立ち上げて、自分たちが販売したユーザーから独自に買い戻す仕組みを始めることにした。

それが、「回し読みシステム」と当時呼んでいた仕組みだ。

これは、常に在庫を切らさないための一つの方法であったし、読みきったところで、別のシリーズをまた購入したいという読者の気持ちを考えたからでもある。

この「回し読みシステム」では、読みきった漫画を全巻読破ドットコムに売り戻すことで、次回購入の際に使えるポイントをユーザーに還元していた。

良質な漫画好きを囲い込む大きなメリット

私たちは、全巻読破ドットコムをつくる際に、漫画のデータベースを構築することに力を注いだ。

ジャンルごとの漫画の販売価格データを使って相場をはじき出し、全巻読破ドットコムであればどのくらいの値段で買い取って、どのくらいで販売できるのか。

そこに、一冊一冊の古本の状態が関係してくるわけだが、この「回し読みシステム」サービスは、浸透するに従って素晴らしい循環を生み出してくれた。

当時は、私が段ボールで送られてくる古本を査定していたのではっきりと覚えている。

ただ、ビジネスがまわり出すといつまでも私の感覚だけで査定することもできない。徐々に査定のレギュレーションを構築していった。

たとえば、黄ばみについてだ。

何冊も見続けていると、黄ばみ→黄ばみ→黄ばみと見てきたあとにクリーム色の本を見ると、不思議なことに少しきれいな本に見えてしまう。

白→白→白→クリーム色とくれば、汚いという印象になる。

心理学でいうところの「アンカリング」である。人は最初に見た情報に大きく影響されてしまう。

このブレをなくすために、基準となる色を決めて誰もが確認できるようにしたり、破れ・書き込みのチェック方法や値札シールのはがし方を共有したりした。

クリーニングセットを用意し、できるだけ買い取りから商品管理プロセスに時間がかからないようにも工夫した。

そうやって私たちの目を通った全巻セットを購入していただいた利用者から、「回し読みシステム」で漫画セットが戻ってくると、これはもう基本的に状態が良い。

漫画好きが集まっているサイトなので、漫画に対する愛情がきちんとあってそれが本の状態や梱包の仕方にも表れている。

彼らは手にしたポイントでまた次に読みたい全巻セットを購入してくれる。

そうしたサイクルが生まれたのである。

膨大な冊数の漫画本を査定していくと、感覚の極致ではあるのだが、段ボールを開けた瞬間に古本の状態がほぼわかるようになる。

買い取り価格ですら瞬時にわかることもある。

それを決めるのは〝匂い〟である。

状態のいい古本は、段ボールの封を切った瞬間に本当にいい匂いがする。そういう梱包の中には直筆の手紙が添えられていることさえ稀ではない。

逆に状態の良くないものは、埃っぽかったりタバコ臭かったりする。

こうした循環は、高い買い取り価格を実現し（全巻読破ドットコムのリピーターが売ってくれる漫画本は、ときに3万～5万円の値をつけて買い取ることもあった）、その結果、良質の古本が集まってくるようになった。

そして、良い状態の全巻セットが新刊より安く手に入るサイトだという評判を生んでいく。某有名掲示板の漫画コミュニティで、〝全巻読破ドットコムを知らないなんて、漫画好きならあり得ない〟という内容の書き込みが登場したほど、私たちは漫画フリークに認知されていった。

自分たちで買い取った本が売れれば、高い利益率を確保できる。

買い取り価格の基準をどこに置くべきか。買い取り価格を上げてみたり下げてみたりすると、ユーザーから驚くほど敏感な反応が得られた。下げればクレームの嵐、上げれば感謝の手紙。

ユーザーの気持ちはほんの少しの違いでジェットコースターのように乱高下した。
競合他社の買い取り価格をいろいろ見ていくと、全巻読破ドットコムの買い取り価格は某有名店の4倍近くになることもあった。それでも私たちは利益を出していた。

漫画販売に貢献するデータのアウトプットと「ZENDOKU TOWER」

11月に入ると今度は、「秋の夜長に読みたい漫画」の調査結果を発表した。調査対象は東京近郊に住む高校生、大学生を中心にした男女100人。懐かしさも手伝って、振り返ってみることにする。

〈2006年　秋の夜長に読みたい漫画ランキングベスト10〉

1位：スラムダンク（井上雄彦、集英社）
2位：僕等がいた（小畑友紀、小学館）
3位：ドラゴンボール（鳥山明、集英社）
4位：NANA（矢沢あい、集英社）

5位：DEATH NOTE（原作・大場つぐみ、作画・小畑健、集英社）
6位：ONE PIECE（尾田栄一郎、集英社）
7位：ラブ★コン（中原アヤ、集英社）
8位：砂時計（芦原妃名子、小学館）
9位：NARUTO（岸本斉史、集英社）
10位：ジョジョの奇妙な冒険（荒木飛呂彦、集英社）

〈全巻セットで読みたい漫画ランキングベスト10〉
1位：スラムダンク（井上雄彦、集英社）
2位：ドラゴンボール（鳥山明、集英社）
3位：DEATH NOTE（原作・大場つぐみ、作画・小畑健、集英社）
4位：砂時計（芦原妃名子、小学館）
5位：ジョジョの奇妙な冒険（荒木飛呂彦、集英社）
6位：ご近所物語（矢沢あい、集英社）
7位：天使なんかじゃない（矢沢あい、集英社）
8位：るろうに剣心（和月伸宏、集英社）

9位：H2（あだち充、小学館）
10位：ハチミツとクローバー（羽海野チカ、集英社）

この発表で何を狙っていたのか。

全巻読破ドットコムの公共性をユーザーや業界に知ってもらうことが目的だった。2007年にかけて、その他にもいくつも特集を組み、あらすじを紹介し、当サイトの販売価格と新品価格との対比などを常に発信していった。

少年漫画特集、少女漫画特集、実写化原作漫画特集、ジャンプ黄金時代特集など、矢継ぎ早に仕かけた。

そして2007年4月、全巻読破ドットコムサイト内に、フロア別に漫画のジャンルを取り揃えた大型複合施設「ZENDOKU TOWER」をオープンさせた。

私の生まれ育った横浜のみなとみらいを背景に、漫画に溢れた仮想ビルをバーチャルに置いて、1階を少年漫画フロア、2階を少女漫画フロアという形で、ユーザーが漫画で埋め尽くされたビルの中で漫画を選んで購入できるようなECサイトをFLASHアニメーションを交えてつくった。

ここには、いつかデジタルの世界に街をつくるという私の思いが詰まっていた。

余談だが、「実際に横浜みなとみらいに出かけていったのに、そこに『ZENDOKU TOWER』がないんだが?」という問い合わせを受けたときは嬉しくもあり驚きもした。

なぜデジタルの世界での街づくりにこだわるのか。

それはいつの時代でも人々の豊かな暮らしを実現しようとするのがビジネスというものの本質であって、その目的のために世代によって使うツールが違うだけなのではないかと考えているからだ。

私は中学生のときに知った、インターネットの向こう側に人が集う街があるということに心底興奮した。いずれは自分がそういう街をつくるのだとどこかで夢見ていた。

「ZENDOKU TOWER」ビジュアル(現在は閉鎖)

たとえば、1964年の東京オリンピックの前後は、土木や建築の力で物理的に街をつくり上げていった時代だといえるだろう。

私の世代はインターネットというツールを手に入れたがゆえに、デジタル上で同じことをしようとしている。

最近でいえば、VRやブロックチェーンなどの新しい技術で世界を再構築しようとしているように見える。

世界を良くするということは、具体的にいえば、経済性が上がるか、利便性が上がるか、娯楽性が上がることだろう。

つまりはそういう「場」をつくることこそが世界を変えていくことなのではないかと思う。

結局、全巻読破ドットコムにおいては、売り上げは確実に伸びていったものの、需要過多を解消することはできなかった。

全巻読破ドットコムの初年度の売り上げは1000万円、翌年が7000万円、その翌年が1・3億円と、絵に描いたような右肩上がりの成長を遂げていたのだが、それでも顧客需要の3分の1ほどにしか応えられていない状況だった。

新刊はコンテンツで、古本は人で繫がっている

そんなとき、私たちの成長に目をつけた新刊の取次会社から、新刊も扱わないかという話が舞い込んできた。実は、当時は業界的に新刊と古本は相容れぬ存在だった。これは書籍業界だけではないだろう。メーカーと中古販売業者が相容れない業種は他にもある。

リユース業界からすれば、自分たちの存在は世の中のモノを循環させる潤滑油となっていると考えているのに対し、メーカー側には、自分たちのブランドを勝手に使って商売をしていると思っている人たちが一部にいることは確かだ。

私たちも過去にさまざまなやりとりがあったのだが、すくいきれていない需要に対して少しでも供給を増やすチャンスだと捉えて、あらためて新刊セットの取り扱いも始めることにした。しばらくして全巻読破ドットコムは、当時では珍しい、新品・中古のハイブリッド型インターネット書店となった。

取次会社は配本に関して考慮してくれたし、漫画家先生とのタイアップにも協力してくれ、新刊が出る際に、全巻読破ドットコムで全巻セットを買うと、作者のサイン色紙が当たるといったキャンペーンなどをいくつも打つことができた。

これは古本では絶対にできない読者サービスだった。新刊の販売部数が伸びていくと、別の

取次会社なども取り引きができるようになり、いくつかの取次会社を通して、キャンペーンを打つことなどもできるようになった。

ビジネスの踊り場は、次のフェーズへ飛躍するための力の蓄えどき

全巻読破ドットコムが知られるに連れ、漫画の大人買いサービスは34社も立ち上がった。某有名書店でさえ、私たちのサービスを研究してサービスを開始したといっていたくらいだ。

だが、深刻なことに、売る本が圧倒的に足りていなかった。新品の本が足りていないので、古本はもちろんもっと少ない。

そして、売れるのは利益率の低い新品本に比重が偏っていった。

私たちのビジネスは在庫ビジネスで、キャッシュフローが最も大切だ。在庫を抱え資金化できなければ、それはビジネスの死を意味している。

最初にサービスを始めた頃は、順調に進まなくとも貯金を取り崩したり、アルバイトでなんとか凌いだりすればよかった。最悪の場合は事業そのものをやめればよかった。要は自分自身のことをなんとかすればよかった。

学生のノリで自分たちの中で盛り上がった漫画を強気で仕入れてみたり、失敗のあとは逆に

慎重になりすぎて機会を損失してしまったり。

個人のパーソナリティによっても、怖いから仕入れられないといったことが起こってくる。モノがなければ始まらないビジネスであるにもかかわらず、売り上げ管理まで見えてくると考えすぎて動けなくなってしまうなどということも起こる。

そこで個人の感覚に頼るのではなく、外部で公表されているランキングを指標にするとか、先ほども述べた実写化情報に基づいて仕入れるといった経験値を積んでいった。

そういうことを繰り返していくと、徐々に世の中の何を見ていけばいいのかがわかるようになってくる。一過性のブームなのか、そうではないのか。そんなことが見えてくるようになる。

地道な一つひとつの積み重ねによって、全巻読破ドットコムは成長し続けたのだが、成長しているのにキャッシュが減っていく。そんな状態に陥っていた。

東日本大震災のあとのことだ。毎日、胃が痛かった。

事業が大きくなっていき、億単位で融資を受け始めていた。これはもうかんたんにやめられる状況ではない。個人ではどうしようもない借金を抱えた状況に、これがもしかすると父があのとき背負っていたプレッシャーなのかもしれないと考えないこともなかった。

この状況は、資金回収に時間がかかっていることがつくり出したものだった。

商品を仕入れる。ここでまず資金が出ていく。たとえそれがサイトですぐに売れたとしても、クレジット決済、コンビニ払いで回収できるのは当時、１カ月以上先だった。

その間も商品を仕入れ、売り続けなければならない。ここが本当に苦しいのだ。資金の流れが、ビジネスのスピードについてこないという日々だった。

この状況を乗りきる特効薬はない。キャッシュフローを十分に意識し、入金のタイミングの早い方法を探し、支払いのタイミングをできるだけ後ろにずらしてもらう交渉を丁寧に続けた。

この時期がいちばん伸び悩んだときでもある。ＰＬ（損益計算書）では伸びていたが、ＣＦ（キャッシュフロー計算書）は痛み続けた。それでも売り上げを上げ続けることができて、３億２０００万円までもっていったのだが、こういう時期には起こるべくして起こることがある。

私の経営者としての器が原因であることは前提だが、会社が伸び悩んだとき、人は去る。これは、冷静に見れば、次の段階へ成長するために必要な踊り場だということが、あとからわかるのだが。

このタイミングで、在庫管理の責任者と広告運用の責任者が会社を去った。

このことをきっかけに、ボトルネックを洗い出し、優秀な彼らに任せきりだった部分を仕組みとして解決していくことになる。管理システムそのものを見直すことにした。

ショップからプラットフォームへ。目指すべきものを再認識

この管理システムを、彼らが辞めたあと、およそ1カ月で私自身がつくりきった。

これは独自の在庫システムで、他社からは真似できないオリジナルの仕組みになっている。誰かにこの開発を任せるというのは現実的ではなかった。業務を俯瞰的にわかっていなければできるものではないし、ここまでの経緯に対する理解も求められる。

それを誰かに完全に伝えようとする時間と労力を考えたとき、この時期、それは私が自分で開発するのが最も効率の良いアプローチだと判断した。もちろん開発プロセスの中で、何人も壁打ちにはなってもらってブラッシュアップを重ねた。

次に在庫管理のための従業員を雇い、強気の仕入れを実現していった。さらに仕入れと連動する形で広告キーワードの効果測定を行い、ＲｏＩ（Return on Investment：投資に対してどれだけの利益を得られたかを表す指標）を高めていった。

これにより、利益率と在庫回転率を高め、ピンチを乗り切ることができた。

２００４年に、インターネット上の17のセレクトショップを集積して生まれたファッションショッピングサイト「ZOZOTOWN」は、今でこそ有名だが、当時は知る人ぞ知るサービスだ

った。彼らの目指していたものは、タウンと名がつく通り、デジタルワールドの中にファッション街を構築することだったと思う。

それは私も同じで、その夢は捨てていなかった。だからこそ横浜のみなとみらいに漫画の仮想ビルをグラフィカルに建て、フロアごとにジャンルを決めた売り場を構成したのだ。

だが、目の前の課題に追われ気がついてみると、私たちは「何のために起業したのか？」と思うようになっていった。それを意識し始めたのは、自社EC売り上げ比率だ。当時は自社独自のECだけではなく、楽天やアマゾンなどのネット型ショッピングモールにも出店していた。それぞれのショッピングモールに合わせて戦略も立てていたので、全巻読破ドットコムの売り上げ成長を後押ししてくれていたのだが、ついにはショッピングモールでの売り上げが自社ECサイトの売り上げを超えた。

それは私が目指した街＝プラットフォームの姿では決してなかった。

プラットフォームをつくらなければ。

そんな焦燥感が徐々に募っていった。

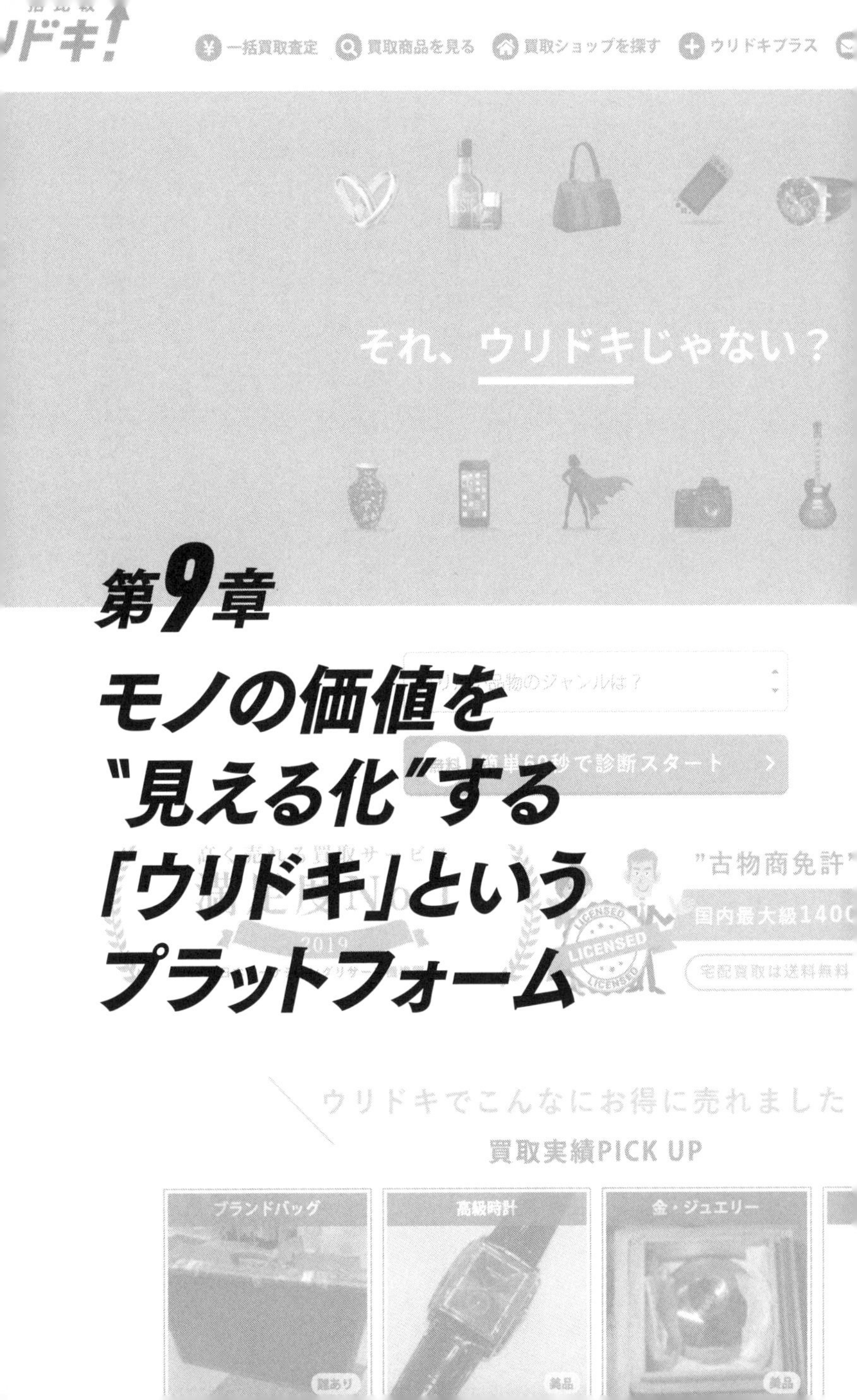

第9章

モノの価値を"見える化"する「ウリドキ」というプラットフォーム

つくるべきは「売りたい人」が集まるサイト

リユース業界では周知の事実だが、グーグルのリスティング広告は、「販売」より「買い取り」関連のキーワードの方がクリック単価が高い。たとえば当時のデータでいうと、iPhoneを「販売」するための広告クリック単価は61円。それが「買い取り」になると122円と2倍になる。ゲームなどでは「販売」72円で「買い取り」が198円と3倍近い単価の違いがあった。

このように買い取りのクリック単価が非常に高い中で、大手に対抗してどこにどんな広告を打っていけば効果的なのか。

たとえ他店舗よりも高額買い取りをしてきた実績があったとしても、ユーザーに知ってもらえなければ意味がない。当時買い取りをアピールするのに有力な手段といえば、リスティング、アフィリエイト、テレビCMくらいである。

すると、このときに買い取りに特化した媒体がないのに違和感を覚えた。

たとえば飲食店であれば、グルメの人や幹事の人が必ずといっていいほどアクセスする「食べログ」や「ぐるなび」といった、ここに広告を出稿すれば間違いなくターゲットにリーチできるという飲食の専門媒体がある。

「食べログ」は株式会社カカクコムのサービスの一つで、国内有料プラン契約店舗数約58万2

000店舗。月間利用者数は約1億810万人、売り上げは約64億9400万円とカカクコムグループ最大の売り上げを誇る、文字通り日本最大級のグルメサイトだ（「2020年3月期第2四半期決算説明資料」）。

ターゲットが飲食店であろうと、グルメユーザーであろうと、飲食系のクライアントであればここに広告やプロモーションの施策を打てば、それなりの効果を期待できるのは当然だろう。「ぐるなび」も同様だ。

髪の毛を切りたいのであれば「HOT PEPPER Beauty」で検索、予約すればよい。そこにはヘアサロンだけで年間6840万6598件もの予約が集まっており、リラクゼーション・ビューティサロンであれば、年間4033万7999件の予約数を誇っている（HOT PEPPER Beauty 最新データ集　2020年6月更新データ https://beauty.hotpepper.jp/doc/guide/saishindata.html）。

ビューティ業界の人ならば、ここでの告知がどれほど有効かは疑問の余地がない。

リユース業界はモノがなければ始まらない。私たちにとっては買い取りこそが生命線である。できるだけ良質のモノを集めたい。そのためにはモノを売りたいと思っている人たちが集まる場所（サイト）に広告を打ちたい。至極真っ当な考えである。

そういったサイトはどこにあるのか。私たちはそのサイトのスポンサーになろうと、いろいろと探したが一向に見つからない。

結論からいえば、そういうサイトはなかった。

では、モノを売りたい（手放したい）人はどこで情報を収集しているのだろうか。

大手比較サイトを運営している企業に買い取り比較サイトの企画をもち込んだり、つくり込んでもらえるなら最初のスポンサーとなるとまでもちかけたのだが、話はうまく進まなかった。

モノを売り慣れているユーザーは、自分で買い取り店を数店回って、相場を知り、高値で買い取ってくれるところに売っていた。ニーズがあるのは明らかだ。

リユースのプラットフォームは私自身がつくるしかないか。いつしかそう考えるようになっていった。

「本屋」から「街」をつくる決心

私はその頃にはもう9年の経営経験を有していた。他のリユース企業の経営者とコミュニケーションをとり、キャッシュフローや集客、あるいはそもそものビジネスの構造の問題など、実に多くの悩みを共有してきた。

それはその場に身を投じたからこそ得ることのできた知見であり、他の誰もが知りうることではなかった。

リユースのプラットフォームを誰かにつくってもらおうなどと考えた自分が愚かだったのだ。その担い手は私しかいない。リユースのために消費者から事業者がモノを集める仕組み。C2Bのプラットフォームを構築するのは私の役割だ。旗を立てるべきは私だったことに気づいたのである。

このプロジェクトを進めるにあたって二つの選択肢が考えられた。現状のまま、つまり全巻読破ドットコムを運営しながら、それと並行する形でもう一つのプロジェクトとしてプラットフォーム事業を起こす。

もう一つの選択肢は、全巻読破ドットコムの事業を譲渡し、別会社として事業を展開するというもの。

前者の枠組みでやるとすると、マッチポンプサイトのように捉えられかねない。全巻読破ドットコムのためのプラットフォームに見えてしまう。それは本意ではないし、そもそもプラットフォーマーは公平性を担保しなければならない。

自分の築いたものであるとはいえ、1店舗のためにプラットフォームをつくるというのは、私が想い描くデジタルネットワークを使った街づくりとしては許せるものではなかった。

それから、全巻読破ドットコムのノウハウは、漫画に限らずあらゆるものに有効なのではないかとも思っていた。リユースというもう一つ大きな領域で見たときに、やれることがあるという確信めいたものがあった。

最近でこそリユース業界の人同士も親睦が深まってきたが、少なくとも当時は、リユース業界の人たちと集まると、どうしてもギクシャクしてしまう傾向があった。特に同じ商材を扱う人同士であればなおさらだ。それは競合他社同士の集まりになってしまうからである。

たとえば、漫画のリユースをやっている人同士はなかなか親しくはなれなかった。

私たちが漫画の領域でリユースをやっていることはそれなりに知られていたので、その私たちがやるサービスとなると、同じように漫画を扱うリユースの人たちの多くは参加してくれないことが目に見えていた。

プラットフォームとしてはそんな偏りがあってはいけない。しこりを生むようなやり方は絶対にうまくいかない。

筋を通すためには資本関係もない別法人にするべきだと判断し、全巻読破ドットコムの事業を運営する株式会社プリマプロジェクトの株式を譲渡することに決めた。

それは2013年のことで、その頃のリユースの市場規模は前年比9・7％増の1兆4916億円（リフォーム産業新聞社「リサイクル通信」）。2009年以降4年連続で拡大し、その成長率は10％近い。

まさにリユースがぐんと伸び、上り坂を駆け上がっているタイミングだった。ちなみにメルカリがサービスを開始したのもこの年である。

モノを売ろうとしている人が、どのショップに売ればいいかがわかるリユースの専門媒体。それが当時思い描いた、現在のウリドキにつながるプラットフォームのイメージだ。

つまり世界初のC2Bプラットフォーム。

このモデルは、やはり漫画のリユースの経験から生まれてきている。

何度もいうように、この業界ではいかに商材を確保するかが極めて重要だ。どんな仕組みをつくろうと、どんなキャンペーンを打ち出そうと、どんなキャッチコピーで引きつけようと、売るものがなければ話にならない。

リユースという行為、あるいはそれを促すビジネスには、モノの循環という概念がもともと内包されているといってもいいだろう。工場から新品をどんどん送り出せばいいという話ではない。有用なものを循環させることにビジネスのチャンスを見出していかなければならない。

そのために、消費者（C）から企業（B）にモノが流れるプラットフォームこそが、リユースには必要だというのが経験から得た私の認識だった。

買い取り価格の透明化によって摑んだ手応え

このプラットフォーム、ウリドキのサイトデザインは割とすぐに完成したが、ウェブサイトから情報を抽出するウェブ・スクレイピング（Web scraping）に時間がかかった。

買い取りに特化したクローラーをうまく実装しなければオンラインでの価格比較などのデータを手にすることができない。

その部分を外注していた業者がうまくつくりきれず、あろうことか途中で音信不通になった。VBA（ビジュアル・ベーシック・フォー・アプリケーションズ）で書かれたやりかけのプログラムを、結局、私が学習しながらつくりなおした。

これは、かんたんにいえば、リアルの世界で店舗を回って価格を調べるような行動を、ウェブの世界で自動的に行う調査プログラムのようなものだ。ウェブの世界をブラウジングしていくのも、決して楽ではない。それを自動で収集し提供できれば、それは大きな価値になる。

たとえば一般の人は、買い取り業者といってもCMを打っているような大手しか知らないかもしれない。しかし、認知度がそれほど高くなくとも優秀な企業はたくさんある。

それをこうした技術でフラットに一覧にできれば、ユーザーの利便性に大きく寄与するというのが私の考えだった。

現在でこそ、このプログラムをはじめ、リユース企業の方からも進んで情報提供してくれているおかげで、ウリドキでは多い日で1日およそ2000万件の買い取り価格情報がアップデートされている。

このプログラムを走らせ、得られた情報から順に開示していったとき、とある買い取り業者から「何てことをするんだ」とお叱りを受けたことがあった。そのとき私は、「これはいける！」と直感的に思った。

それはなぜか。カカクコムが価格比較サイトをオープンしたときも、家電量販店をはじめさまざまな方面から同じことをいわれてきた経緯を知っていたからだ。

そういうことをいってくる熱量が高ければ高いほど、そここそがその業界の肝なのだ。

そこを知られたくないと思っている業者側のパワーの強さは、ユーザーが知りたいと願っているパワーの裏返しである。

前述した通り、ビジネスとはユーザーの願いを叶えるべきものである。

私に文句をいってくる業者はできるだけ安く買い叩きたいがゆえに、透明化するとはけしからんといっているようにしか聞こえなかった。価格という情報を知らされない情報弱者であるユーザーから買い叩く。それは違うはずだ。そんな業界で良いわけがないのだ。

このことで、リユースの世界においても、あらゆるモノの価値が透明化されていくべきだとはっきりと実感した。

全巻読破ドットコムのとき、私は大手業者の4倍近い価格で買い取り、それでも利益を出せる構造を構築していた。

それを構築した自負があったし、そもそも競争こそが業界を成長させる健全な姿だと感じていた。

今まで安く買い叩いて儲けていたのに、そんなウェブサイトのせいで仕入れ価格が上がってしまったじゃないかなどといってくる業者よりも、企業努力を続け、健全にやっている会社がどんどん強くなっていき、残っていく仕組み。それを促進するのが価格の透明化だ。

カカクコム創業時にそのビジネスに賛同した家電量販サイト「ＰＣボンバー」が急成長したことも私の考えを補強する材料になっていた。

同様にウリドキでも同じことが起きた。批判する買い取り店がいる一方、こんなサービスを待っていたという買い取り店もあった。そういうプライシングリーダーの業者は、私たちウリドキをうまく活用し、売り上げを伸ばし続けている。

より良いプラットフォームとは何か。試行錯誤の2年半

ウリドキは、2013年12月31日に買い取り価格の一覧比較ができるサイトとして公開。2014年12月1日には株式会社ウリドキネット（現ウリドキ株式会社）を設立して、モール型サービスの試験運用（この段階での出店数は約80店）を始めた。

それは、リユース業者が直接出店して買い取りができる「ウリドキモール」とでもいうべきものだ。

わかりやすくいうならば、中古商品の買い取りに特化した楽天モールのようなものと捉えていただくとイメージしやすいかもしれない。

リユース業者は、ウリドキに出店し、ウリドキ内ですべてのネット買い取りに必要なオペレーションを完結することができる。

ネット買い取りを自社サイトで行っているリユース業者は、ユーザーからの多数の買い取り申し込みに対して、受付・査定価格の提示・ユーザーの個人情報の確認・買い取り金額の振込みといった一連のオペレーションを個別に行う必要があった。

これをウリドキに集約させ、ウリドキ内の管理画面で一括管理できることは、リユース業者に大きな利便性をもたらした。とある買い取り店舗では、1日3時間かかっていた業務が、ウ

リドキを使うことでわずか1時間に短縮できた。

なかでも、買い取り金額の振り込みをウリドキが一括して行うことは、煩雑になってしまいがちなオペレーションの負担を大幅に軽減できる。

さらに、リユース業者にはウリドキの商品データを活用できるというメリットも提供した。商品名や商品コードを入力し、自社の設定する買い取り価格を入力するだけでかんたんに情報を掲載することが可能となり、「ささげ業務（撮影・採寸・原稿）」の大幅削減に繋がった。

さらに、特定商品の買い取り最高値を自動的に表示する機能を使えば、商品価格設定もスムーズに行うことができる。


ウリドキは、ユーザーが待ち望んでいた「売りたい商品の、買い取り価格の透明化」というニーズに応えてきた。

その一方で、リユース業者サイドからは、ネット買い取りサービスを始める際の負担の軽減を求める声があり、このウリドキというプラットフォームが、集客や業務効率のソリューションになることも狙いとしていた。

この試験運用期間は、広告も入れず業者から出店料などもとらなかったので、まったく利益を生むことはなかった。が、まずは、利用者のために買い取り価格をかんたんに比較できる、より良いサイトづくりを進めていくということだけに集中していた。

トラフィックが伸びていけば、いかなるマネタイズの方法も考えられる。たとえば、流通手数料で利益を生むのか、店舗への月額課金モデルを構築するのか、あるいは広告収入で運用していくのか。先行するスタートアップのさまざまな資料を見ながら収益モデルを検討していたので、当初は目先の利益より、とにかくトラフィックを順調に伸ばすことを考えていた。


失敗もたくさんした。

2015年夏には、試験運用サイトのデザインを大幅リニューアル。一新したウリドキのデザインはフルスクリーンサーチで、ファーストビューの中央に大きな検索窓を配置したものにした。手持ちのモノの買い取り価格が瞬時にわかる目的検索の利便性を高める狙いだった。ところが、リニューアル後のサイト回遊率がぐんと下がり、離脱率が上昇。サイトのデザインリニューアルが時期尚早だったことを思い知った。

自分の持ち物がいくらで売れるのかを知るために検索するという行為が、まったく馴染みがなかったのだ。それゆえウリドキのサイト内を自由にブラウジングしてもらい、いろいろ発見する中で、買い取りの魅力に気づいてもらう、そういうアプローチの仕方にアジャストしていった。

その結果、2015年10月には累計利用者数が140万人を突破。買い取り比較できる商品ジャンルは13ジャンルにまで広がり、その商品点数は16万点を超えた。

そうした商品点数の増加に伴い、何がいつ売り時なのかをひと目で判断できる、買い取り価格の急上昇・急下落ランキングも実装した（現在は行っていない）。

また、この時点で、もっているモノの資産価値を〝見える化〟する機能も追加。ユーザーは、自分のもっている商品をマイページのお気に入りに登録することで、その商品の買い取り価格の日々の変動をかんたんにチェックでき、任意のタイミングで買い取り依頼を出すことが可能になった。お気に入りに複数の商品を登録すると、すべての商品の買い取り合計金額も確認できるなど、ユーザーの利便性を上げる仕組みを取り入れた。

2016年5月には通算利用者数200万人を突破。同月、ウリドキはベンチャー企業の登竜門といわれる「インフィニティ・ベンチャーズ・サミット（Infinity Ventures Summit）2016 Spring Miyazaki Launch Pad」にてファイナリストとなる。そして2016年8月から流通手数料を設け、ウリドキ正式版として運用を開始した。

正式スタート3カ月で、ビジネスコンテスト最優秀賞受賞

ウリドキとして最初に扱ったのは、漫画ではなかった。ゲームソフトである。ゲームソフトには、POSシステムをはじめとする受発注システムなどに対応した国際的な共通商品コードであるJAN（Japanese Article Number）がついていて、メーカー名、商品名などを機械的に識別できるようになっていた。

そのことによって買い取り価格が最も収集しやすかったことが一つ。実際のところ、買い取り価格そのものがネット上にかなり溢れていたし、実店舗で買い取り価格が公開されているケースもけっこう多かった。

つまり、買い取り価格が比較的オープンになっていて、収集しやすい商品だったのだ。もう一つ、ゲームソフトの回転が速いことに着目していた。

漫画よりも回転がぐんと速い。理由は単純で、価格が下がるまでの周期が漫画や書籍などに比べて圧倒的に速い。つまりゲームは消費者の熱量の移り変わりが激しいのだ。〝ゲームは生もの〟といわれるほどである。どんどん商品が動く。ならばゲーム好きは次にプレイしたいゲームを手に入れるために、買い取り価格を気にする頻度も自ずと高くなるに違いないと踏んでいたのだ。

多くの買い取り価格を一覧で公開していくことで、ゲームを売りたいと思っている人たちに、タイミングによっては思っていた以上に高く売れることに気づいてもらえると思っていた。その逆もまた真なりで、タイミングを逃せば思ったほどの買い値はつかないし、実はこのタイミングもショップによって異なるのだ。

このポイントに気づけば、ユーザーは高額で商品を手放せる。業者にとってはまだまだ商材としてホットな状態のゲームソフトを手にできる。そういった取り引きが活発に行われることで、プラットフォームとしてのウリドキの価値が向上していく。三方よしの構造をつくり出せるわけだ。

そうした現象はどうして起こるのだろうか。かつてウリドキが価格の推移を公表していた頃のグラフをサンプルに、そのメカニズムをかんたんに見てみる。

図表6　ゲームソフトの買い取り価格の変化

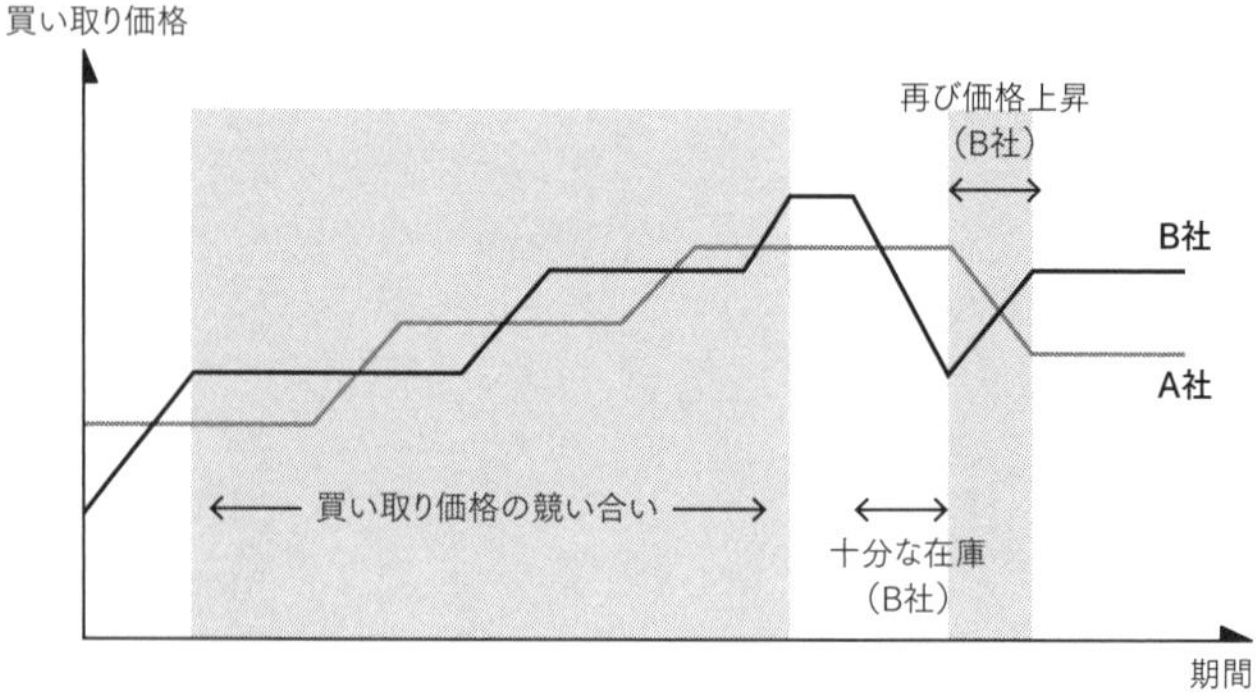

ゲームの買い取りに強いA社とB社が、人気ゲームソフトの仕入れを競っている状況だ。売れ筋の商材を求めている2社は、おそらくウリドキで相手の価格を日々チェックし、相手よりも少しでも高い価格でできるだけ買い取ろうとする。それはどちらにとっても同じで、買い取りの最高価格提示が2社の間で入れ替わりながら、全体的には買い取りが右肩上がりに上昇していく。

B社が最高値をしばらくキープしたあと、急に買い取り価格を下げている。これは過剰在庫になったからである。すると今度はA社が最高値となり、買い取りを増やしていく。その間、B社は在庫の販売に力を入れ、安い買い取り価格で入手できるならばそれは確保しようという姿勢でいる。

それと同じことがA社にも起こり、在庫過多になるタイミングで買い取り価格を下げてくる。販売に力を入れていたB社は在庫が手薄になってくると、買い取りを強化するために価格を上げてくる。

こうして買い取り価格は動いていく。これをユーザー側から見ると、一度高額買い取りをしてくれたショップでも、いつも最高値で買い取ってくれるとは限らないということだ。高く売りたいなら、常に買い取り価格を比較できることが極めて重要だ。

正式運用から3カ月後の2016年11月。

私たちのサービスは、中小・ベンチャーの支援組織であるイノベーションズアイとフジサンケイビジネスアイが主催するビジネスコンテスト「革新ビジネスアワード２０１６」で最優秀賞をいただいた。

ゲームでスタートした「ウリドキ」は、扱い品目を徐々に増やし、今やゲーム、ＤＶＤ・ブルーレイ、ＣＤ、古本、トレーディングカード、フィギュア、ブランドバッグ、財布・小物、腕時計、携帯・スマホ、パソコン、タブレット、カメラ、電動工具、スマートウォッチ、ゴルフ、自転車、楽器、お酒、おもちゃ、プラモデル、ミニカー、ミニ四駆、制服、電子タバコ、ラジコン、鉄道模型、コスプレ・仮装、アニメ・萌グッズ、アイドル・芸能人グッズ、ダーツ、テーブルゲーム・アナログゲーム、手芸、画材、パチンコ・パチスロ、家電、シューズ、ジュエリーと38カテゴリーにまで広がっている。

これらの品目を通して、私たちのプラットフォームを利用するリピーターの年間利用回数が３・５５回にまで上がってきている。

これは例えるなら、季節の変わり目に、ウリドキを利用していただいているということになる。ウリドキがモノを売りたいユーザーと、そうした関係性を築けていることはたいへん大きな価値であると考えている。

目利きの力があるからこそのC2Bプラットフォーム

ここでリユース市場の商材別マトリクスを見ておこう（図表7）。

横軸は価格である。左に安価な商材、右に行くに従って高価な商材をマッピングした。

縦軸はその商材の性質だ。上に機能的な商材、下に情緒的な商材がある。機能的な商材とは、バーコードや型番などで管理されているもので、言語化しやすいことが特徴だ。たとえば、「PS4 ドラゴンクエスト11」や「iPhone 8 64GB」といった商材がそれに当たる。

情緒的商材はそうではない。むしろ言語

図表7 リユース品の商材別マトリクス

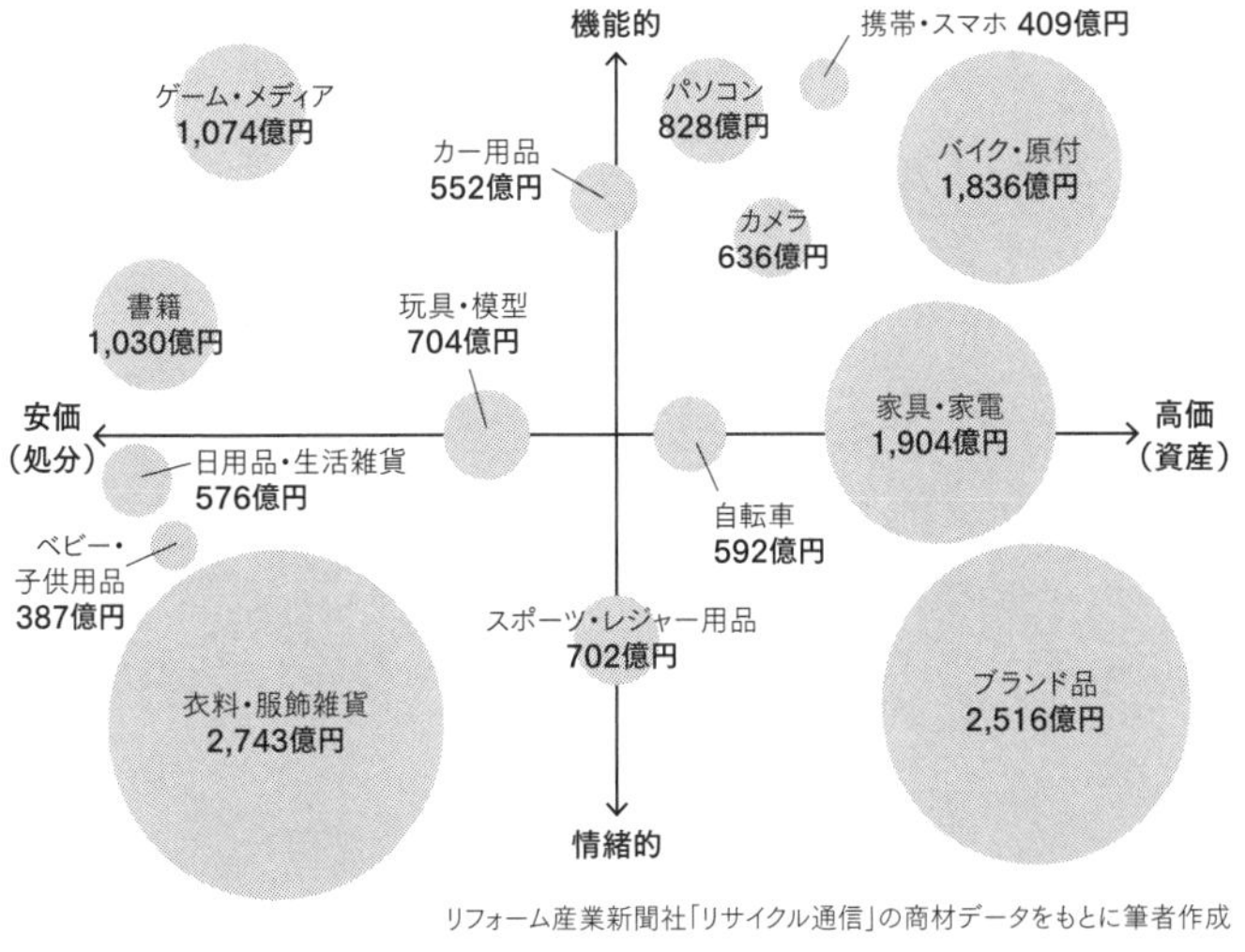

リフォーム産業新聞社「リサイクル通信」の商材データをもとに筆者作成

化しにくい。

お気に入りの服を思い浮かべてみるとわかる。たとえば、「ブランド名Tシャツ」といっても、数多く商品が存在しすぎて、そのTシャツを誤差なくテキストで表現することは難しい。

この領域の商材は、ビジュアルで伝えることに向いている。つまり写真だ。マトリクスでいえば衣料・服飾雑貨、スポーツ・レジャー用品の一部、玩具・模型の一部、日用品・生活雑貨、ベビー・子供用品といった左下にあるモノたちだ。

このゾーンに強いのが、写真でかんたんに出品できるメルカリなどのC2Cサービスである。


もう一つ、リユース業界を知る上で、このマトリクスを使って理解しておきたいことがある。リユース商材の買い取り原価率の中央値は50・1%である（リフォーム産業新聞社「リサイクル通信」2017）。

つまり501円で買い取ったモノがあったときに、それは1000円で売りに出されているということになる。

これは中央値であって、実はジャンルによって大きなバラつきがある。

古本や古着などの買い取り原価率が20～30%なのに対し、ゲームやブランド品などの買い取り原価率は60～70%になる（リフォーム産業新聞社「中古市場データブック2018」201

8)。ということは、先ほどのマトリクス商材分布には、書籍とゲームを境に、斜めに買い取り原価率の壁が走っているということになる。

この、原価率60〜70%の右側の領域こそが、本来、リユース業者が得意としてきた分野であり、リユース企業の一丁目一番地ともいえる聖域だ。

ブックオフのV字回復は左下のC2Cが得意な領域から、C2Bが得意としているこのゾーンの商材に移行してきたからだと分析することができる。

ウリドキは、この領域を得意としているリユース企業に提供するプラットフォームである。

ここにマッピングされている商材は原価率が高く商材単価そのものが高い傾向にある。査定や目利きの力がより求められる分野だ。つまりプロが活躍する領域のプラットフォームを展開し、安心してユーザーに手元のモノを売りに出してもらう。それが私たちの役割である。

本書前半でも述べたが、この査定や目利きの存在というのは日本の、あるいは日本人の文化的な背景から高いレベルで育まれてきた存在だ。そこにフォーカスして、ネットの世界で勝負する企業として、メイド・イン・ジャパンの世界的なサービスを構築したいという思いが強くある。

B2Cはアメリカ発、C2Cもイーベイや中国が先行しているイメージが強い。

私は、そういった海外で成功したものをドメスティックにローンチするのではなく、日本の良いモノを武器に世界に打って出るビジネスをやり、成功させたいと考えている。

即金アプリ「PICOL」の失敗

ウリドキを展開していく中で、ウリドキを含めた従来のネット買い取りサービスでは捉えきれないユーザーがいるのではないかという感覚があった。

ウリドキの一般的なフローはこうだ。まず事前の査定があり、その業者が提示する見込み金額が気に入ったところで、ユーザーは商品を業者へ送る。しかしながら最終的な買い取り金額の確定は、業者が実物を確認してはじき出す。ユーザーと業者の双方がその金額に納得し合意すれば、金額が振り込まれる。

このとき、ユーザーは不安になるのではないか。モノをすでに送ってしまっているのに、最終的にいくらになるのか、その時点ではわからないのだ。

であるならば、モノを送る前に金額が確定し手元に振り込まれたらどうだろう。ユーザーも安心して買い取りに出せるのではないか。

そう考えていた矢先の2017年。一つのアプリが大きな話題となった。

ストアーズ・ドット・ジェーピー株式会社の創業者・光本勇介氏が株式会社バンクを設立しリリースした質屋アプリ「CASH」である。

このアプリ、〝目の前のアイテムを一瞬でキャッシュ（現金）に変える〟というコンセプトを引っさげて登場した。モノ（実際には対象カテゴリーは限られていた）をアプリで撮影するだけで即査定が行われ、あっという間に現金化される。

サービスローンチからわずか16時間で申し込みが殺到し、サービスを2カ月ほど停止したことでも話題になった。

驚いたことに、その16時間で3億6000万円分の「キャッシュ化」がなされたという。

CASHは、創業から約8カ月、サービス運営期間わずか2カ月弱で、合同会社DMMドットコムに70億円で買収された。その後、光本勇介氏の株式会社バンクが親会社である合同会社DMMドットコムに対してマネジメント・バイアウトを実施。合同会社DMMドットコムから事業を買い戻した。

2020年4月には、株式会社バイセルテクノロジーズにCASHの事業譲渡を行い、現在もサービスは続いている。

このCASHを追うように誕生したのが、メルカリの「メルカリNOW」（運営はグループ会社のソウゾウ）だ。

ヤフーもこの流れに呼応した。「ヤフオク！」内で、ブックオフコーポレーション、マーケットエンタープライズと連携した家電・携帯電話・ブランド品などの買い取りサービス「カウマエニーク」を公開したのである。

私たちウリドキには、ゲーム機やゲームソフト、漫画などに対するデータや経験値が蓄積されており、その分野でなら即金アプリのフィールドでも戦えるのではないか。

そうして2018年2月にリリースしたのが「PICOL（ピコル）」である。

PICOLはゲームやCD、DVDなど「メディア系商材」といわれる商品を対象にした即時買い取りサービスだった。

CASHの場合は、モノの写真を撮ることで料金が査定されるが、PICOLの場合はバーコードをスマホで読み取る。全巻読破ドットコムで棚卸しを行っていた際、漫画の裏表紙についているバーコードを読み取ると「ピコッ」と電子音が鳴るので、いつしか棚卸し業務のことを社内で「ピコる」と呼ぶようになった。これがサービス名の由来だ。

バーコードを読み取ったあとに、商品の状態を選択すると査定がスタートする。買い取り金額が表示され、ユーザー情報と集荷日時を登録すればアプリ内のウォレットにお金が貯まる仕組みだ。

当然のことながら、私はウリドキを通じて培ってきた知見やネットワークが、PICOLの強みであると考えていた。

日々、ゲームに関する膨大な買い取り価格データが更新されていることに加え、リユース業者との繋がりも長年にわたって構築してきた。だからこそ、これらの分野では市場にもユーザーにも適正な価格を提示できるし、リユース業者との繋がりという面では、ＰＩＣＯＬで入手したモノの出口もしっかりしているという自信があったのだ。

またバーコードを活用しているため商品の間違いも起きづらいという点も、即時買い取りには相性が良くリスクを抑えられる。

ウリドキは少し時間がかかっても高い価格でちゃんと売りたい人が利用する、玄人も多いプラットフォーム。その分、買い取りに慣れていない人や手軽に売りたいという人を取りこぼしている部分がある。それに対し、ＰＩＣＯＬでは従来の買い取りフローでは不安がある人や、手軽に素早く金額を確定させたいという人にとって使いやすいサービスにすることで棲み分けていく狙いだった。

初日はすぐに買い取り上限金額の３００万円に到達し、順調な滑り出しを見せた。と思ったのもつかの間、数日後には社員が真っ青な顔をして私の元へ来るなりこういった。

「社長、届くはずの商品がほとんど届きません」

このＰＩＣＯＬというサービスは、先に買い取り金額を支払い、あとからモノを送ってもらうという性善説に基づいたサービスである。当然、電話番号認証や身分証登録などは事前に課していた。しかし、いわゆる飛ばし携帯を使用されたり、巧妙に身分証が偽造されていたりと、私たちのシステムをことごとくかいくぐられてしまっていたのだ。

資金がわずかしかないスタートアップベンチャーにとって、1日で300万円を失うというインパクトは大きい。

その後も悪夢は続いた。ユーザーのお金の引き出しにロックアップを設け、モノの発送確認がとれたら引き出せるというシステムに変更したが、今度は何も入っていない段ボールが送られてくるようになった。その他にもその都度対策を講じていったが、正直、不正利用者とのいたちごっこを続けているだけだった。

その後、リスク保証を提供するガルディア株式会社との提携や、ユーザーがお金を引き出す条件をさらに厳しくしていくことで、徐々に不正率を下げることには成功したが、それと同時に「即金」という強烈な価値は損なわれていき、正当に使ってくれていたユーザーも減っていった。

一方、そうした対策に追われる傍らでは、資金不足を解消するために、毎週のようにベンチャー・キャピタルや個人エンジェル投資家にプレゼン、いわゆるピッチを続けていた。

PICOL開発当初は投資に乗り気になってくれていた投資家たちも、プロダクトの状況を見て当然の如く難色を示すようになり、最終的に私の起業家人生で初めてのまったく資金調達ができない、いわゆる「坊主」の状態に陥った。

私はPICOL事業を畳むことにした。

2018年10月17日に買い取りの依頼受付をストップ。買い取り金額のやりとりなども含めたすべてのサービスを2018年11月末で終了した。運営期間中に査定されたアイテムは累計で71万8021点、査定金額の総額は3億5459万6376円だった。

PICOLの開発や運営にほとんどの資金を使ってしまい、新たな調達もできない。しかもこの頃、私たちはまだ赤字企業だった。資金がショートするまで半年を切っていた。

このまま指をくわえて倒産するわけにもいかない。あらためて私たちがリユース業界にもっと何か貢献できることはないかと、多くのリユース企業を訪問した。

そもそもウリドキは、レガシーなリユース業界のデジタルシフトを加速させ、より業界を活性化させることを目的とした会社である。当時は世の中の買い取りデータを大量に保有していることから、買い取り価格相場や買い取り価格比較が可能なウリドキというサービスと、よりリユースを身近に感じてもらうために始めた「ウリドキニュース（現ウリドキプラス）」というオウンドメディアを運営していた。

とはいえ広告収入がメインの両サイトだけでは会社を維持できるほどの売り上げは立てられていなかった。これを打破する一手が、どうしても必要だった。

そんなある日、とあるリユース企業から、まだほとんど収益化できていないウリドキニュースに対して、「ウチの会社のことを紹介してほしい」というお話をいただいた。

これはチャンスだと思った。リユースといってもその商材は幅広く、各リユース企業でも、得意領域やその専門性は異なる。各社のユニークさを捉え、記事として紹介できれば、面白いのではないか。

幸いにも弊社には優秀なライターが在籍していたので、すぐに行動に移した。取材を行い、ウリドキニュース内で記事にしたところ、これが好評で、他のリユース企業さんたちからも依頼をいただけるようになり、次第に業績は回復していった。

あと半年で資金ショートという正念場から、単月黒字化を達成するところまで挽回できた。リユースのために起業し、リユースアプリで失敗し、途方に暮れていた私たちを救ってくれたのは、やはりリユース業界だったのである。

本書をお買い上げいただき、誠にありがとうございました。
質問にお答えいただけたら幸いです。

◎ご購入いただいた本のタイトルをご記入ください。

『　　　　　　　　　　　　　　　　　　　　　　　　　　　』

★著者へのメッセージ、または本書のご感想をお書きください。

●本書をお求めになった動機は？

①著者が好きだから　②タイトルにひかれて　③テーマにひかれて
④カバーにひかれて　⑤帯のコピーにひかれて　⑥新聞で見て
⑦インターネットで知って　⑧売れてるから／話題だから
⑨役に立ちそうだから

生年月日	西暦　　年　　月　　日（　　歳）男・女			
ご職業	①学生	②教員・研究職	③公務員	④農林漁業
	⑤専門・技術職	⑥自由業	⑦自営業	⑧会社役員
	⑨会社員	⑩専業主夫・主婦	⑪パート・アルバイト	
	⑫無職	⑬その他（　　　　）		

このハガキは差出有効期間を過ぎても料金受取人払でお送りいただけます。

ご記入いただきました個人情報については、許可なく他の目的で使用することはありません。ご協力ありがとうございました。

郵 便 は が き

料金受取人払郵便

代々木局承認

1938

差出有効期間
2022年10月4日
まで

1 5 1 8 7 9 0

203

東京都渋谷区千駄ヶ谷 4-9-7

(株) 幻 冬 舎

書籍編集部宛

1518790203

ご住所 〒

都・道
府・県

フリガナ

お名前

メール

インターネットでも回答を受け付けております
https://www.gentosha.co.jp/e/

裏面のご感想を広告等、書籍の PR に使わせていただく場合がございます。

幻冬舎より、著者に関する新しいお知らせ・小社および関連会社、広告主からのご案内を送付することがあります。不要の場合は右の欄にレ印をご記入ください。

不要 □

第10章
ウリドキが考える リユースの 三つのフェーズ

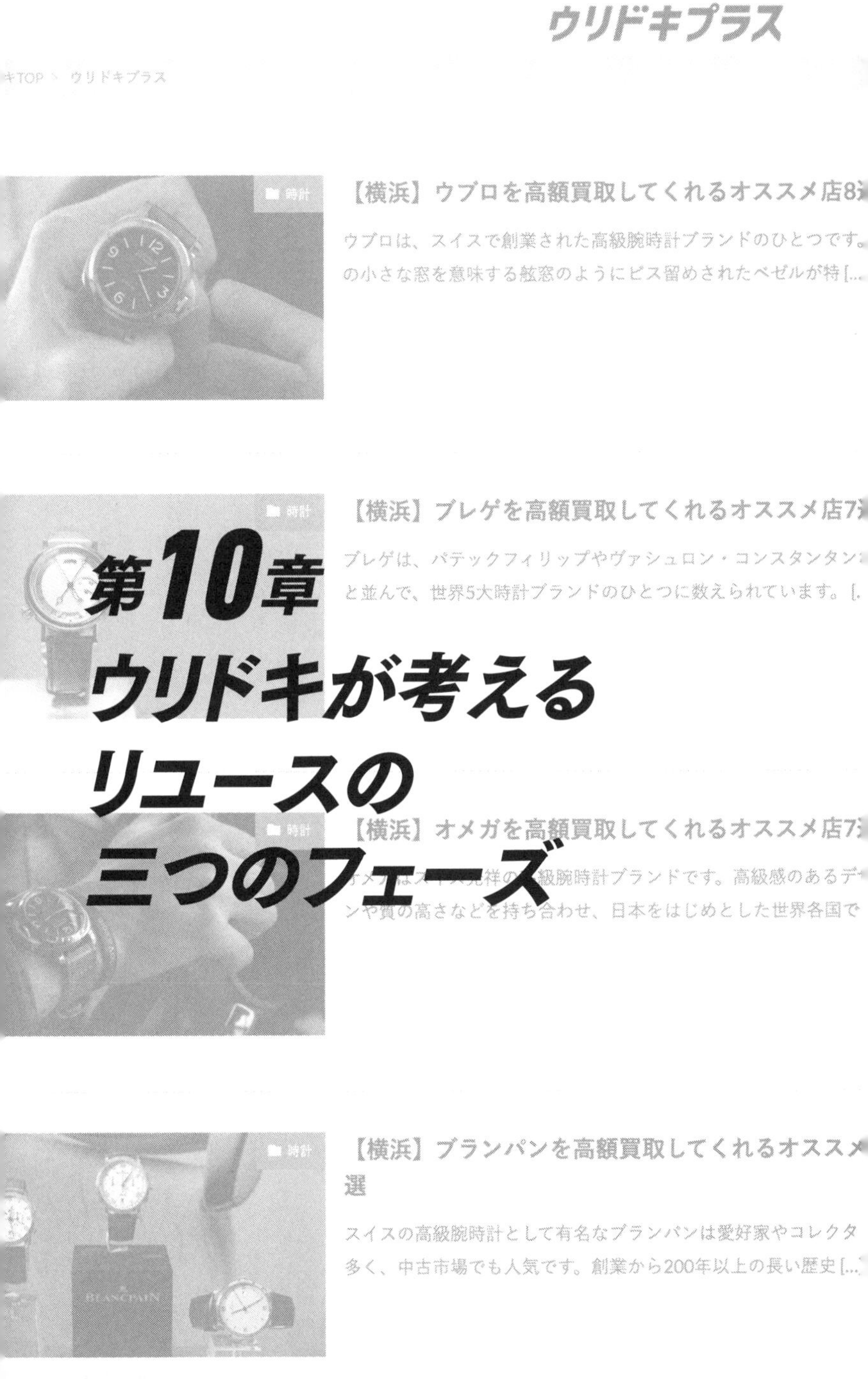
ウリドキプラス
キTOP > ウリドキプラス
時計
【横浜】ウブロを高額買取してくれるオススメ店8
ウブロは、スイスで創業された高級腕時計ブランドのひとつです。
の小さな窓を意味する舷窓のようにビス留めされたベゼルが特[...
時計
【横浜】ブレゲを高額買取してくれるオススメ店7
ブレゲは、パテックフィリップやヴァシュロン・コンスタンタン
と並んで、世界5大時計ブランドのひとつに数えられています。
時計
【横浜】オメガを高額買取してくれるオススメ店7
級腕時計ブランドです。高級感のあるデ
ンや質の高さなどを持ち合わせ、日本をはじめとした世界各国で
時計
【横浜】ブランパンを高額買取してくれるオススメ
選
スイスの高級腕時計として有名なブランパンは愛好家やコレクタ
多く、中古市場でも人気です。創業から200年以上の長い歴史[...]
BLANCPAIN

私たちウリドキというリユースのプラットフォームは、これから三つのフェーズで成長していくだろうと考えている。

第1フェーズは、「潜在的な退蔵資産を日本で掘り起こす」ことだ。

日本では寄付の文化が根づいていないことは前述した。依然として人々は、邪魔になったモノ、あるいは不要品をいくらかでもお金になるなら中古市場に出すという感覚が大勢を占めていると思われる。

阪神・淡路大震災以降、頻発する大規模災害で、自分にとって不要品であっても誰かのために役立つという経験をしてから、少しはモノの価値に対する意識が変わったかもしれない。しかしながらそれは日常的な行為としてではない。

一方で、20歳から25歳までの平均年収は、ここ20年ほどで29万円も下がっているという現実がある。

それにもかかわらず支出は増えている。学費は1・5倍で、年金支払額は1・9倍、消費税は1・6倍ほどになった。こういう世相が、いらないモノをお金にするという行為を活発にさせているということも確かにあるだろう。

しかし循環型社会を形成する一環として、リユース市場を活性化するには、ウリドキ資産をもっと常態的に循環させる必要がある。

まずは今、退蔵品を市場に出すという行為が、ポジティブなこととして広まっていくようにしていきたい。

「買う」「売る」行為の背景にある欲求とは

ところで、視聴行動分析サービスを提供するニールセン デジタルが発表したオンラインショッピングサービスとフリマサービスの利用状況（２０１９年6月26日）によると、ＰＣとスマートフォンの重複を除いた「トータルデジタル」におけるオンラインショッピングサービスの利用者数は、アマゾンが５０００４万人（昨年同月比10％増）、楽天市場は４８０４万人（同8％増）となっている（いずれも２０１９年4月時点）。

これだけの人がオンラインで何らかのショッピングをしているということだが、そもそも人はなぜ買い物をするのだろうか。

そのことを理解するために、アメリカの心理学者アブラハム・ハロルド・マズロー（Abraham Harold Maslow）が唱えた有名な「マズローの欲求5段階説」を見てみよう。

この説は、70年以上も前、１９４３年にマズローが発表した論文「人間の動機づけに関する理論」で発表されたものだ。

大前提として「人間は自己実現に向かって絶えず成長する」という仮説をもとにした理論だということを確認しておく。その上で、人間は誰しも階層化された五つの欲求をもっていて、下部の欲求が満たされることでその上の欲求を満たそうと行動するという理論だ。

五つの欲求段階とは、次のようなものだ。

（第1段階）生理的欲求
「食」「性」「睡眠」など、生きていくために必要な基本的・本能的な欲求

（第2段階）安全の欲求
「身の安全」「身分の保証」「不安・混乱からの自由」といった安心・安全な暮らしへの欲求

（第3段階）社会的欲求
「孤独や追放された状態を避ける」「共同体の

図表8　マズローの欲求5段階説

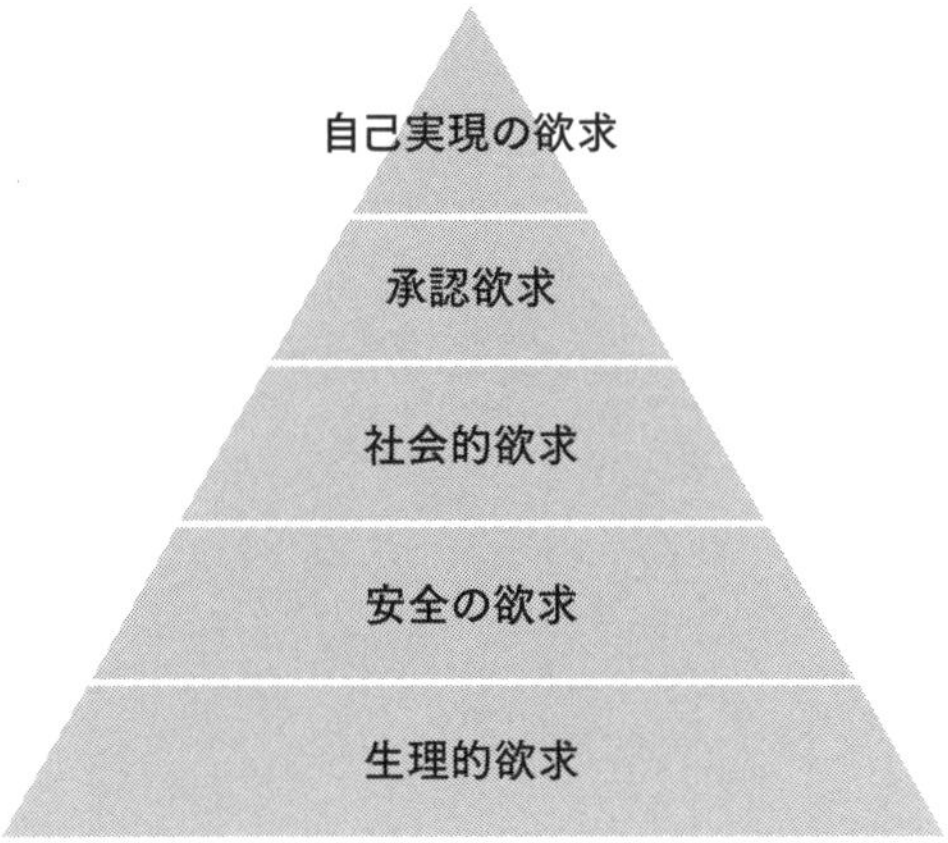

一員に加わりたいと思う」「周囲からの愛情を求める」といった友人や家庭、会社から受け入れられたいという欲求。集団への帰属や愛情を求める欲求であり、「愛情と所属の欲求」あるいは「帰属欲求」とも表現される

（第4段階）承認欲求（尊重欲求）

他者から尊敬されたい、認められたいと願う欲求。さらに次の2段階に分けられる

（4）—1　低いレベルの承認欲求

他者からの尊敬、名声、注目などを得ることによって満たされる欲求

（4）—2　高いレベルの承認欲求

他人からの評価より自分自身の評価を重視

（第5段階）自己実現の欲求

自分の世界観・人生観に基づいて、「あるべき自分」になりたいと願う欲求

マズローは最初の（1）～（4）の欲求を「欠乏欲求」だとし、（5）を「存在欲求」だと定義。（5）を達成できた人は数少ないとしている。

現在の日本で暮らす私たちにとっては、（1）の生理的欲求が脅かされることはそれほどないだろう。

（2）の安全の欲求は、大災害の頻発やナショナリズムの台頭、グローバルに広がる感染症な

どの影響で、残念ながら高まっているといえるかもしれない。この欲求が購買行動に結びついている点も大いにある。防災グッズを買ったり、より安全な住居を求めたり、予防的な治療を受けたりすることなどがこれに当てはまるだろう。

しかし、いわゆるショッピングといわれるものに深く関係しているのは、(3)の社会的欲求と(4)の承認欲求だ。

たとえば、(3)の社会的欲求においては、どんな地域、会社、学校、家庭、グループに属しているかといったことが判断の基準となる。そうしたときに、たとえばブランドバッグや高級腕時計を購入することでそのステータスを表現しようとしたり、所属するトライブ(たとえば趣味の集まり)でお揃いのファッションに身を包んだり、あるレベルの会食にお金を費やしたりするわけだ。

それはときに見栄に繋がるかもしれないし、同調圧力となるかもしれない。しかし、人は社会的欲求によってモノを買おうとすることは確かだ。

次に(4)の承認欲求では、他者から認められるために、自分だけが発信できるものなどに意識が向くことになる。

開店したお店を次々に訪れて、その様子をSNSにアップしてみたり、モノを買い揃えて比較、自分なりの視点でアウトプットし、ひとかどの人物として認められようとしたり。

つまり人がモノを買うのは、社会の中の自分の位置づけ、自分にとっての自分のありようを表現する行為だといえる。

もちろん、生存や安全のためにもモノを購入するのだが、日本ではそれがある程度満たされていると仮定すると、それはコモディティを手にする買い物であって、自らが主体的に選び取るショッピングとは異なるフェーズのものだ。

一般論として、そうして手に入れたモノゆえに使っていようがいまいがなかなか手放せない。モノを持っていること自体に価値を見出してしまいがちだからだ。日本人の〝もったいない〟気質、寄付の文化が育っていないといった要因がそこに重なっている。それを売るという行為に向かわせるモチベーションとは何なのか。

C2Cの世界では、スマホでモノを売買するその新しい体験が一つのモチベーションになっている。テクノロジーの進化で、UX（ユーザー体験）、UI（情報のやりとりの仕組み）はより洗練され、安全も担保されるようになってきている。

C2Bの世界ではどうか。

ウリドキは、プラットフォームとして、リユース品の売買という体験をこれまで以上に身近にできるよう尽力してきた。C2Cサービスも大手リユース企業もテレビCMを積極的に活用するようになった。それでもリユース品の売買経験者は一向に増えていない。このことも前述した通りだ。

そこに必要なのは、承認欲求の高次のもの。すなわち自分自身による自己評価かもしれない。

「スマートにお金をつくり出す自分」

たとえば、いちいち店舗に持ち込むような手間をかけずにかんたんに売り買いできる。そういう方法を体得していることで、周りの人よりも半歩先を行っている自分という姿。

「より優れた方法を知っている自分」

たとえば、日本で売るよりも海外に売るほうが高く売れることを知っているアンテナ感度の高い自分。

「目指す自分の姿になるために自己投資を惜しまない自分」

1ランク上の技術、情報、資格などの取得を目指す頑張っている自分。

「エシカルな行動がとれる、グローバルな視点をもった自分」

モノの選択眼に意図があり、こうした自己演出のために退蔵資産を売買する自分。

1962年にスタンフォード大学の社会学者エベレット・M・ロジャース教授が提唱した、これまた有名なイノベーター理論というものがある。

これは新製品や新サービスが市場に浸透するまでの消費者の購入態度を、時間軸に合わせて五つに分類した理論で、マーケティングに活用されている。

その五つの分類とは次のようなものだ。

〈イノベーター〉（革新者）2・5％

好奇心が強く、新しいモノを積極的に取り入れようとする。何かの発売日に店頭に並んでしまうようなタイプ。大事なのはいち早く手に入れることで、製品のスペックなどではない。このタイプの割合は2・5％だといわれ、市場に大きな影響を与えるまでには至らない。新しいモノ好き、熱狂的なファンといわれる層だ。

〈アーリーアダプター〉（初期採用者）13・5％

イノベーターほど積極的ではないものの、他の消費者層と比べるとトレンドに敏感で、良いと判断したモノは積極的に取り入れる。この層は「オピニオン・リーダー」とも呼ばれ、市場浸透のきっかけをつくる。インフルエンサーといわれる芸能人やモデル、アルファブロガ

図表9 イノベーター理論 五つの分類

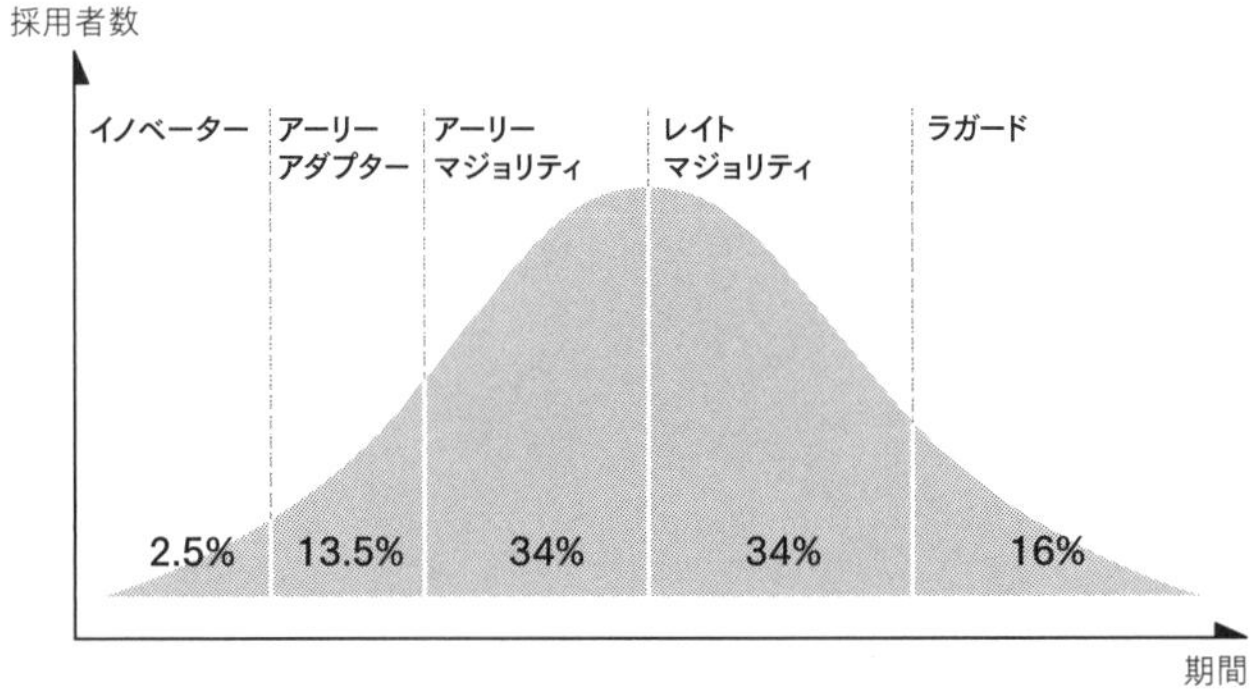

ーやインスタグラマー、ユーチューバーなどがこれに相当する。

〈アーリーマジョリティ〉（前期追随者）34％

新しいモノやコトに慎重な反面、平均よりも早く取り入れる傾向がある。その判断の基準はアーリーアダプターの動向だといわれている。市場に商品やサービスを浸透させる役割を担っていることから、「ブリッジ・ピープル」とも呼ばれている。アーリーマジョリティを取り込んで初めて新商品・新サービスが市場に浸透したといえる。

〈レイトマジョリティ〉（後期追随者）34％

大多数の人が使用しているから良いモノである、と確証を得てから自らは動き出す。「フォロワーズ」とも呼ばれる。レイトマジョリティを取り込むには、「多くの人が使っている」「使っていない人のほうが少ない」といった市場浸透のイメージを届けることが有効である。

〈ラガード〉（遅滞者）16％

最も消極的でトレンドにはそれほど関心を示さない。不要だと思ったモノは購入しない。ラガードにアプローチしてもその効果は小さいといわれている。

現状、日本では4割の人しかリユース売却経験がない。ということは、イノベーター理論に当てはめると、アーリーマジョリティの層に食い込んだところで、拡大が止まっているということになる。

レイトマジョリティにまでリユース売買体験を広げていくには、いうまでもないが、アーリーマジョリティのアクティビティを活発にし、それをレイトマジョリティに向かってきちんと伝えていくこと。彼らの存在が特別ではないことを示していかなければいけないだろう。

アーリーマジョリティが積極的にリユースに関わるには、やはり自己承認欲求をいかに満たせる場であるかということが大切だ。

リユースのスマートなUXデザインがまず必要になる。モノを売るという行為そのものがワクワクするような〝体験のデザイン〟だ。

その上で、モノを売ったお金で何ができるのか。それこそがリユース売買体験のモチベーションになるのではないか。つまりそれは自分への投資側面だ。使わないモノを売却して、その資金でいつもより1ランク上の食事や旅行を楽しんでみる。あるいは1ランク上のセミナーを受けてみる。環境に優しい行為に踏み出してみる。

これらはみな、SNSにおける発信のネタになるだろう。このあたりにリユース利用者の広がりをつくるトリガーがあると思われる。こうした広がりの先には、モノの循環が生み出す新しい社会の姿が見えてきそうだ。

ユーザーとのタッチポイント（接点）を増やす意味で、2019年1月には、東急不動産ホールディングスグループの株式会社学生情報センターが運営するナジック学生マンションで家財売却サービス「URIDOKI買取Day」を限定的に展開した。

学生情報センターには、毎年、大学などを卒業し学生マンションを退去する学生から、家財の処分について相談をもちかけられることが多々あった。

また、多様化する不要品流通サービスの利用に戸惑う学生も多いという実態もあった。そこで家財に特化する形でリユースプラットフォームの利用を提案し実現したものだ。

具体的には、学生はウリドキ・サイト上に設定された専用ページで売りたいモノを登録。提携先リユース会社が商品の事前査定を実施する。学生が査定価格に納得すれば、指定された日時にリユース会社が商品を引き取りに出向き、学生は商品引き渡し時に買い取り金を現金で受け取るというフローだ。

商品の発送や決済手続きなどの手間もかからず、個人間の取り引きトラブルのリスクも回避できる。

不要品売却に不慣れな学生にも利用しやすいサービスとして展開したのだが、インターネット以外の入り口で若者たちがどれだけリユース品の売買経験値を積めるのか。私たちからすれば、若者とのリアルな接点を定期的に設定する意味がどれだけあるのか。

いずれも検証レベルではあるものの、実際にユーザーインタビューを実施できたことが非常に大きかった。まだ20代前半で、メルカリすら使ったことがないという若者が、初めてモノを売るという体験をしたと話してくれたことを考えると、リアルな接点からより利便性の高いサイトへの誘導という動線も、リユースの広がり、退蔵品の掘り起こしを行う点では有効かもしれないという知見が得られた貴重な機会だった。

また、2020年7月には、鉄道会社と連携して、電車の忘れ物をウリドキ提携の各リユース企業を通すことで社会へ再度循環させ、そこで生まれた利益を寄付するというプロジェクトを行った。

電車の遺失物は一時鉄道会社で保管され、持ち主が現れなければ警察署へ預けられる。警察署で持ち主からの申告がなかった場合、鉄道会社に再度戻され、廃棄物として処理されている。遺失物はカメラやバッグ、美容機器など、さまざまなジャンルのモノがあり、鉄道会社では、その遺失物の扱いに困り、多額の費用をかけ廃棄処分としていた。そこで、ウリドキでは、その遺失物を、ウリドキが提携する各リユース企業とともに買い取りを行い、社会に再度循環させる取り組みを行った。

　価値のあるモノを廃棄せずに市場へ再度循環させることで、廃棄コストを抑えられた鉄道会社も、買い取りによりビジネスとして利益を得ることができた買い取り店も、そして最終的に中古品として手に取った消費者にとっても好ましい仕組みができたと思う。

　なお、この仕組みによって発生したウリドキ側の利益は新型コロナウイルスに立ち向かう医療機関・従事者を支援する「コロナ給付金プロジェクト」へ全額寄付させていただいた。

図表10　忘れ物の市場循環フロー

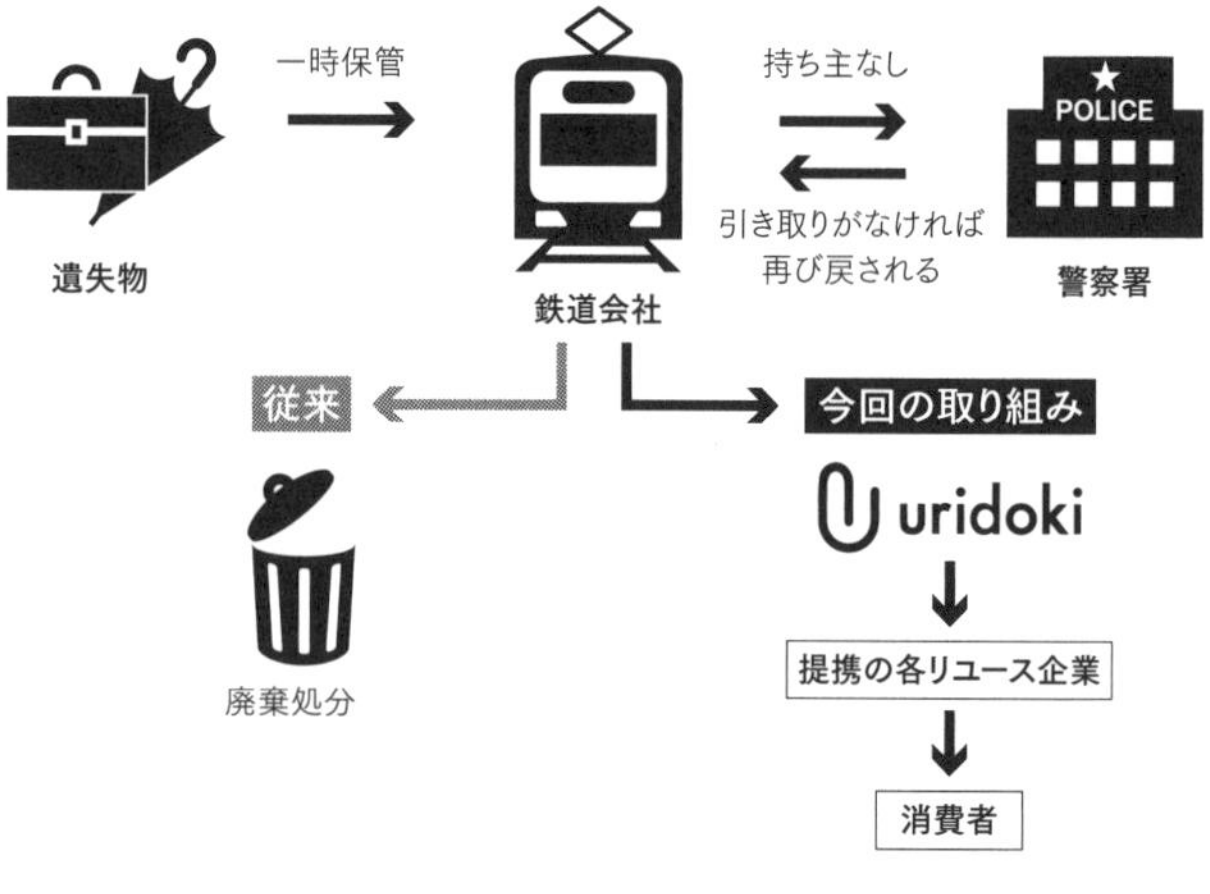

退蔵資産の掘り起こしを高度化するＩｏＴ、ブロックチェーン、そしてドローン

リユースとは、別のいい方をすれば、所有権の移動に他ならない。その際、モノの使用頻度、移動、現在位置などはいずれ（いや、今やもう始まっている）ＩｏＴが担うようになる。

ＩｏＴ（Internet of Things）とは、モノがインターネット経由で繋がることを表している。ここでいうモノとは物理的に存在するものだけを指しているのではなく、自然の現象や生物の行動なども指している。モノと出来事といってもいいかもしれない。

かつて私たちにとってインターネットとは、コンピューター同士を接続するものだった。主にパソコンやサーバーといったＩＴ関連機器が、インターネット接続専用機器とでもいえるポジションにあった。

それが、スマートフォンやタブレットにも広がり、さらにテレビやデジタルカメラ、話題のスマートスピーカー、エアコンや冷蔵庫などデジタル情報機能を搭載したいわゆる情報家電、あるいはコミュニケーション機能を有する小型ロボットなどもインターネットに繋がり、映像、音楽、音声、写真、文字情報などさまざまなデータがやりとりされている。

そしてチップがますます小型化していくに従って、これまで以上に身近なものがインターネ

ットで繋がるようになる。ファッションアイテムなどもそうなっていくだろう（今や、人の体の中にまでマイクロチップを埋め込む動きが出てきていて、北欧などは数千人単位で利用者がいるという）。

ＩｏＴはインターネットを介した遠隔の監視や制御を可能にする。モノ同士のデータ送受信も実現できる。

ＩｏＴによってモノの存在が特定できれば、そのモノを手放そうとしたときに、ブロックチェーン技術が所有権の移転の際に信用を担保する役割を果たす。

ブロックチェーンという技術は、ビットコインの基幹技術として誕生した。

サトシ・ナカモトと名乗る人物が発表した論文「Bitcoin: A Peer-to-Peer Electronic Cash System」によって提唱された技術を中核にしてビットコインのシステムが構築され、２００９年から実用に供されている。

これまで10年以上にわたって一度もシステムが破綻したことはない。

サトシ・ナカモト氏が論文で発表した技術とは、自律分散型台帳といわれるものである。

自律分散型というのは中央集権的にデータを管理するものがいないという意味で、国や中央銀行、あるいは銀行のような仕組みがいらないということでもある。

さらに別の側面を捉えれば、システムとしてサーバー・クライアント構造をとっていないということだ。

では、誰がどのように管理し、信頼性はどのように担保されるのだろうか。結論からいえば、みんなで共通の台帳をそれぞれ監視するのである。

一つひとつの取り引き履歴データはトランザクションと呼ばれ、そこには「いつ、誰が、どんな情報を台帳に書き込んだのか」というデータが記録されている。

トランザクションが複数まとまったものがブロックだ。ブロックには、タイムスタンプとトランザクションのデータ、それに直前のブロックへのリンクが埋め込まれている。

ブロックがチェーンのようにどんどん連なる形になることから、ブロックチェーンという名が生まれた。ブロックは「不可逆性」をもった関数で暗号化されているので、一度記録するとブロック内のデータを遡って変更することができない。

このブロックチェーンがサーバーなどに保管されるのではなく、P2P（Peer-to-Peer＝複数のコンピューター同士が対等な立場で通信するネットワーク方式）技術によって、個々の端末に分散管理されることで信頼性を担保する。

このブロックチェーン技術が、IoTによって管理されたモノの所有権の移転に使われることが想定されている。

モノの台帳情報は世界共通のものとなっているので、どの時点で誰が所有しているのかがトランザクションの履歴によって明確になる。

では、物理的なモノの移動はどうなるのか。

今、注目を浴びているのがドローンによるロジスティクスの構築だ。2015年に発足した小型無人機に係る環境整備に向けた官民協議会が2016年から毎年発表している「小型無人機の利活用と技術開発のロードマップ」2019年度版によれば、2019年度以降、「目視内飛行（レベル1~2）」の実現、「無人地帯での目視外飛行（レベル3）」の実現を目指し、2022年度以降、「有人地帯での目視外飛行：第三者上空（レベル4）」を目指すとしている。

AIが搭載されたドローンが自ら危険を回避するなど、さまざまな実験が行われ実用化に向けて動き出している。

すでにドローン情報基盤システムは稼働し出し、ドローン飛行におけるさまざまな申請をオンラインで受け付けるようになっている。

2020年の今日、ドローンを使ったデリバリーは実証実験段階だ。

その先駆的な例は、アマゾン（アメリカ）や楽天、日本郵便といったところである。法整備や航空管制システムなど取り組まなければいけない課題は多数あるが、着実にドローンデリバリーの時代がやってくるだろう。

ラスト1マイル。デリバリーの役割は大きく、ここがIoTやブロックチェーンと結びつけば、リユース品の掘り起こし、流動性は飛躍的に高まってくる。

そうなったときに必要なのは、信頼できる売却インフラの存在である。あそこで取り引きをすれば、価格が誠実で安全だという〝リユース取引所〟のような存在。それが私がウリドキというプラットフォームを通じて提供したい価値である。

デジタル&ネットワーク時代の「鑑定」と「査定」

日本には昔から目利きがいた。その存在が商品の真贋を見定め、価値を見極めるのに重要な役割を果たしてきた。その重要性は大きく、今でも海外のリユース市場から日本の信頼が厚いのは目利きの存在が肝になっている。

さて、ITテクノロジーや世界的なネットワークが社会のありようを変革しつつある今、この目利きの存在は何も変わらないのだろうか。

その前に、「鑑定」と「査定」はどう違うのか。その話をしておこう。

「鑑定」とは、真贋を判定することである。ブランドバッグ、宝石など高価格帯のモノには偽物がつきものだ。ルイ・ヴィトンのバッグの偽物を持ち込もうとして摘発されたニュースなど、過去に何度も放送されたことからもわかるように、残念ながら偽物はなくならない。そうなると、持ち込まれたモノが本物なのか、偽物なのかを見極める必要がある。それが「鑑定」だ。鑑定によって本物だとされたときに、一体それはいくらになるのか。そこを判定していくのが「査定」である。

つまり査定とは、市場の相場を把握し、傾向を読み、今ならどれくらいの価格がつけられるのか、モノの価値を金額として出すことだ。

ところが、鑑定がいらない分野もある。本やゲームソフトなどだ。つまりそもそも偽物が存在しにくい分野のモノに、鑑定の必要はない。

査定のプロセスは今後、どんどんＡＩにとって代わられていくことだろう。昔は、買い取り価格が透明ではなく、〝見える化〟されていなかった。

ところが今や、買い取り価格、販売価格、海外での取り引き価格、あるいは為替の状況など、さまざまな数字がクラウド上にアップされているし、その数字はアップデートされ続けている。モノをめぐる状況は透明化されつつある。

そうなればＡＩの出番である。数字上の計算であれば、属人性を排除し、ＡＩが瞬時にはじき出したほうがよい。

一方、鑑定の領域はどうなっていくだろうか。一部のリユース企業では、ルイ・ヴィトンの真贋判定にＡＩを使う動きがすでに出ている。その精度は97％にまでなっているらしい。

スニーカーなどでもＡＩ鑑定の動きがあるし、メルカリが海外向けにそのようなサービスを開始している。

これらの仕組みは、実は画像認証システムである。

実は、大学院時代にディープラーニングによる画像認識を研究する研究室にいたこともあって、鑑定は本当にＡＩと相性がいいのか、私自身は疑問に思っている。

そもそも真贋を判定する必要があるのは、偽物があるからである。この偽物の本物度合いの精度はどんどん上がってきている。もちろんその都度、鑑定技術は強化されているわけだが、いたちごっこ感は否めない。

くわえて、新製品が出るたびに、それらをＡＩに学ばせ、教師データ（人工知能にあらかじめ与えられる、例題と答えについてのデータ）を保持していかなければならない。それをあらゆる商品でやりきれるのか。

たとえば、ブランドはよくコラボ企画商品を出す。そういう商品の場合、たいていは数量が限定されている。希少性を保つことで高い価値が生まれるわけだ。こういう商品こそ偽物が狙う分野でもある。つまり、何度も何度も、次から次へと登場する少量品種に対して、真贋判定のために教師データをその都度、作成していくことが極めて重要になってくる。

果たして真贋判定を１００％の精度でやることができるのだろうか。そしてそのコストは経済合理性に見合う範囲に収まるのだろうか。

私は、むしろ鑑定というコストをどうやってなくせるのかを考えたほうがよいと思っている。その肝となるのが、これまでも話してきたＩｏＴとブロックチェーン技術である。

ここでブロックチェーンという場合、注目しているのは、トランザクション処理を用いたコントラクト（契約）の自動化処理「スマートコントラクト」である。契約とは取り引き行動全般の意味だ。

スマートコントラクトを用いれば、契約（取り引き）が改ざんできない。その集積である取り引き履歴も改ざんできない。所有の移転が、改ざんできないデータとして刻まれていくわけだ。

ということは、スマートコントラクトを用いて、メーカーやブランドから直接購入したという改ざんできない履歴をそのモノに付帯することで、本物の証になるということだ。

リユースの市場においても、このスマートコントラクトを利用して、同様の履歴があれば、それは本物だということができる。

この技術の普及前に流通しているリユース品においても、たとえば、一度鑑定士から鑑定を受けているとか、信頼のおけるショップや個人から購入したという履歴が刻まれたものがあれば、それ以降の鑑定コストはかなり削減できるのではないか。

ショップや個人からなどは信用ならぬと思う人もいるかもしれない。しかし今でも人は、評価の高いショップや個人から購入しているではないか。それがきちんとした契約として示されれば、さらに安心して売買ができるのではないだろうか。

これからは信用資産の高いところから買うようになっていくだろう。その信用の根拠がIoTとブロックチェーン技術によって担保されるなら、より一層取り引きの安全性は高まる。

そうなると、そもそも真贋鑑定とは何かということになる。これからは、モノを軸に真贋を判断するのではなく（それには膨大なモノのデータを常にアップデートし続けるというコストがかかり続ける）、誰の手を渡ってきたモノなのか。そういうことで真贋がはかられていくことになるだろう。

近い将来、鑑定はIoTとブロックチェーン技術によって、査定はAIによって、進化していくのが必然の方向だと考えている。

日本のリユース品の価値を越境ECで高める

第2フェーズは、越境ECの充実である。

リユース品は何も国内だけで流通しているわけではない。わざわざ日本に来てユーズド・イン・ジャパン製品を買っていく外国人を見ればわかるように、日本のリユース品は海外で、いやむしろ海外のほうが高く評価されている。

２０１８年、日本、アメリカ、中国の３カ国間における越境ＥＣの市場規模は、いずれの国の間でも増加した。

特に、中国消費者による日本事業者からの越境ＥＣ購入額は１兆５３４５億円（前年比18・２％増）、同じくアメリカ事業者からの越境ＥＣ購入額は１兆７２７８億円（前年比18・５％増）（経済産業省「電子商取引に関する市場調査」２０１８　日本・米国・中国の３カ国間における越境電子商取引の市場規模）。

中国消費者による越境ＥＣ購入額の拡大が目立ってきている。

図表11　越境EC市場規模（2018年）

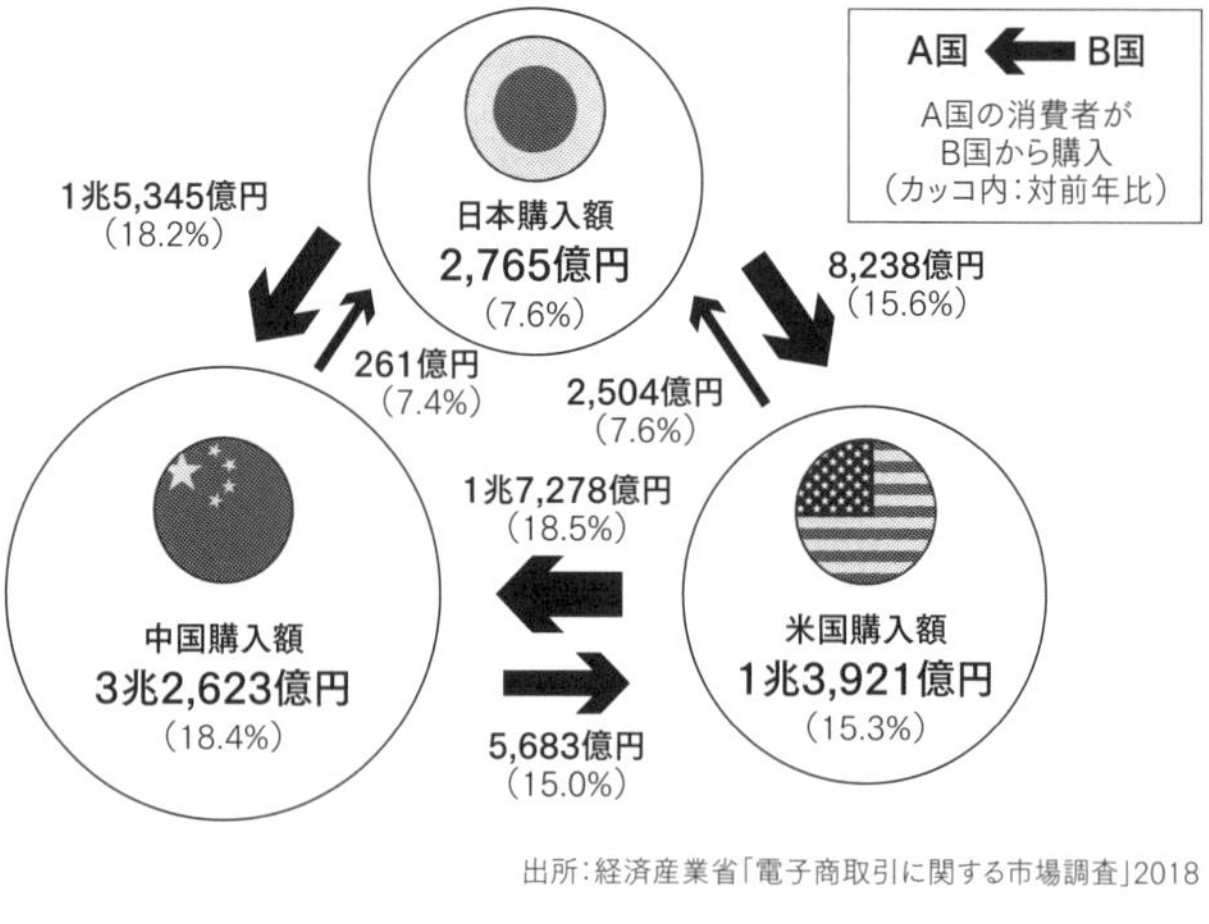

出所：経済産業省「電子商取引に関する市場調査」2018

日本においては、2018年を100とした場合、2022年の市場規模は1・14倍になると想定されている。越境ECに対する期待は高まらざるを得ないといえる。

　言語や法の違い、異なるビジネス習慣や文化、物流や決済手段などといった課題はあるものの、越境ECは日本経済活性化の原動力になりうるだろう。

　過去1年間に越境ECを経験したことのある日本、アメリカ、中国各国のインターネットユーザーの割合をペイパルと調査会社イプソスが調査（2018年3～5月、n＝1000）したデータがある。

　それによると、越境EC経験者の割合は、日本は6％、アメリカは34％、中国では42％とい

図表12　越境ECポテンシャル指数推計（2018年を100とした場合）

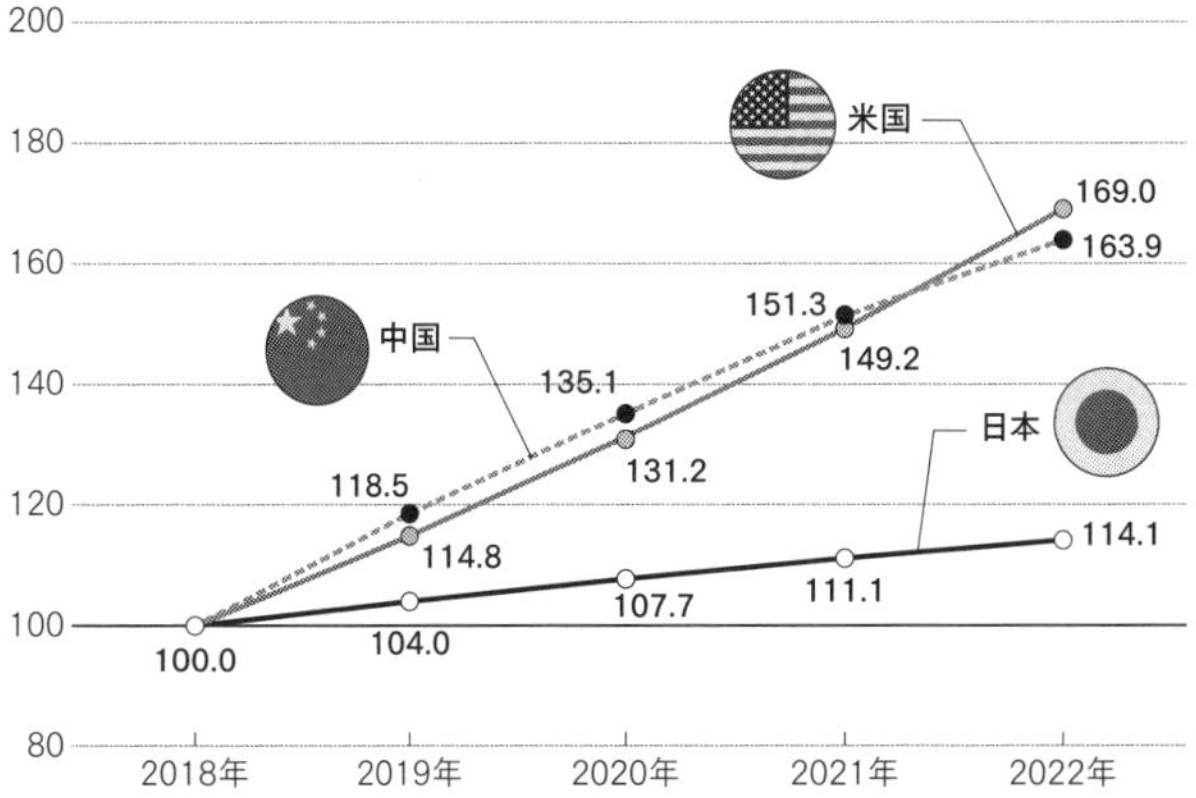

出所：経済産業省「電子商取引に関する市場調査」2018

う結果が出ている。

日本における越境ECの経験者は桁違いに少ない。それはなぜなのか。

この調査ではその点についても明らかにしている。日本人が越境ECをやりたがらない理由は次の五つに集約されるという。

（1）「自国ECサイトで十分なため（50％）」
（2）「外国語に苦労するため（26％）」
（3）「返品がめんどう、または返品送料が割高なため（25％）」
（4）「配達日数がかかるため（23％）」
（5）「海外のECサイトを信用していないため（23％）」

これらの理由は、主に海外事業者から自分が購入することを想定して答えられたものだろうが、これがリユース品を売りに出す際も概ね当てはまると思われる。

日本人は、ユーズド・イン・ジャパンの商品が海外で高く売れることを知らない。知っていたとしても、言葉やそれに伴う手続き、相手が見えない不安から見て見ぬ振りをしている。

この不安を拭い去り、安心して取り引きができる国を跨いだECプラットフォームがあればどうだろうか。

個人だけでなく、買い取り業者にとってもより高額で売却できる越境環境は魅力的だ。

日本は越境EC消費国としては伸び悩んでいるが、中国やアメリカに対する販売国としては右肩上がりの成長を続けていることからも、そこに目をつけた個人なり業者が日本の製品を海外で販売し外貨を稼いでいる図式が窺える。

リユース業者が越境ECを利用することでより高く販売することができるのであれば、それだけ買い取り価格も高くできる。そういう連鎖が生まれれば、退蔵してしまっている資産のトータル価値も上がっていく。

手元にあるモノの価値が以前より上昇していれば、それを売りに出すモチベーションも以前より高くなるだろう。

図表13 越境EC経験者の割合（対象過去1年間）

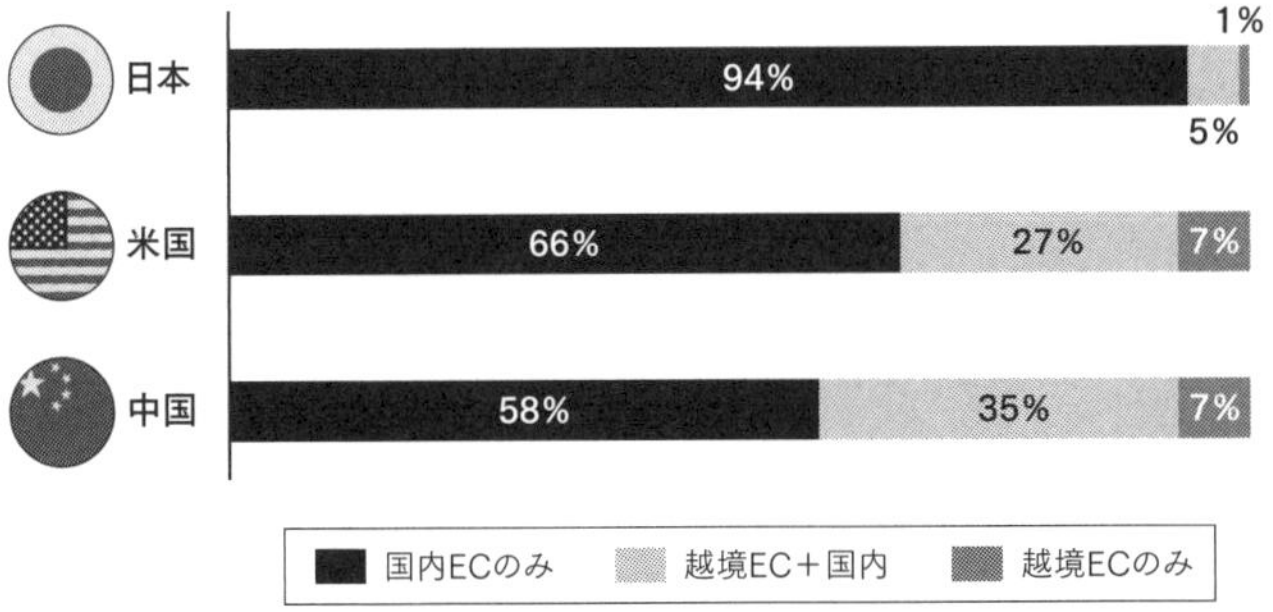

出所：経済産業省「電子商取引に関する市場調査」2018

海外のリユース市場は、2023年にファッション分野だけで5・5兆円

第5章で述べたように、海外では日本よりはるかに寄付の文化が根強い。それは宗教的な背景の違いによるところが大きいということも述べた。

が、しかし、海外でもリユースをビジネスの領域として捉える動きも着実に大きくなっている。世界のリユース市場をファッションの分野だけで見ても、2020年に3・4兆円。そこからさらに2023年には5・5兆円規模に成長すると見込まれている（新型コロナウイルス禍以前の予測。https://www.thredup.com/resale/2019?tswc_redir=true）（図表14）。

日本国内では、古着や服飾という領域だと、リユースで2700億円ほどの規模だといわれている。それに比べると、現状でも12倍以上の規模で、世界では二次流通が回っているということになる。

世界では「リユース品が格好いい」というのがトレンドだ。

また、リユース品を使いたいという人は、2016年は45％ほど。それが、2018年は64％になってきている（図表15）。

図表14 Total Secondhand Apparel Market to Double in 5 Years with Resale Sector Driving the Growth

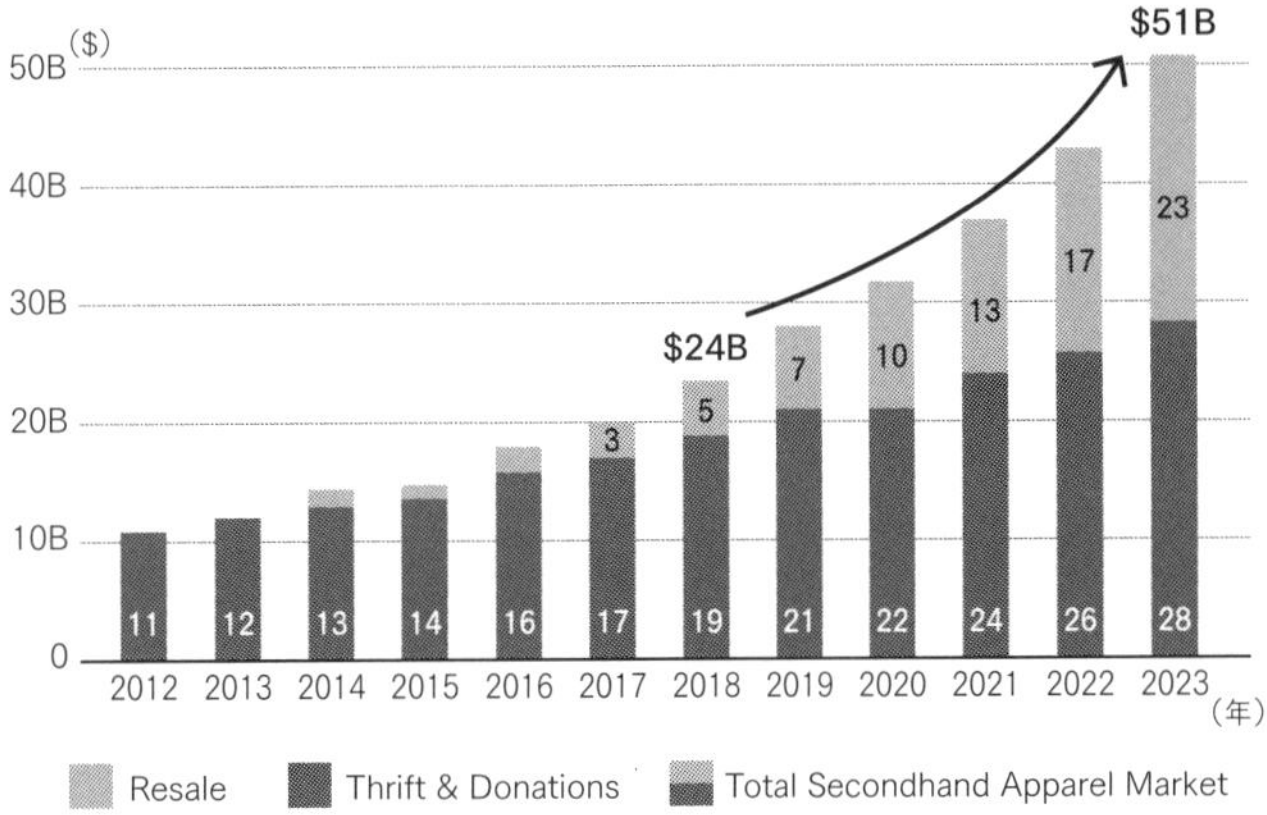

図表15 64% of Woman Bought Are Now Willing to Buy Secondhand Products

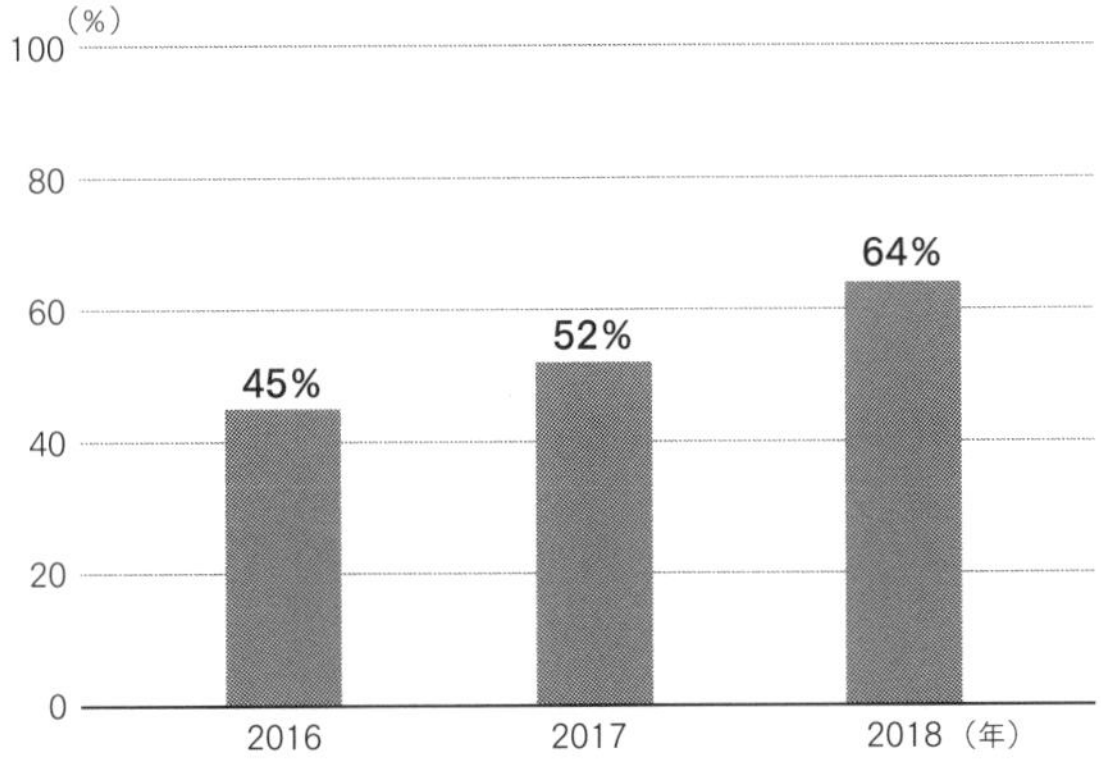

PERCENTAGE OF WOMAN OVER 18 WHO HAVE BOUGHT OR ARE OPEN TO BUYING SECONDHAND PRODUCTS IN THE FUTURE

Z世代では、3分の1がリユース品を購入したことがあると答えている。20%近い急激な伸びの背景には、こうした若い世代の購買スタイルがありそうだ。

10年後、世界のファストファッション市場よりも、アパレルのリユース市場のほうが大きくなるとも予測されている（図表16）。

日本だけではなく、世界的にリユースが浸透し始めていて、まさに右肩上がりに成長しているというのが現状だといえるだろう（図表14〜16 THRED UP 2019 RESALE REPORT https://www.thredup.com/resale/2019?tswc_redir=true）。

それを支えるメルカリのようなアプリケーション、プラットフォームはあるのだろうか。海外版

図表16 Secondhand Is Projected to Grow to Nearly 1.5x the Size of Fast Fashion by 2028

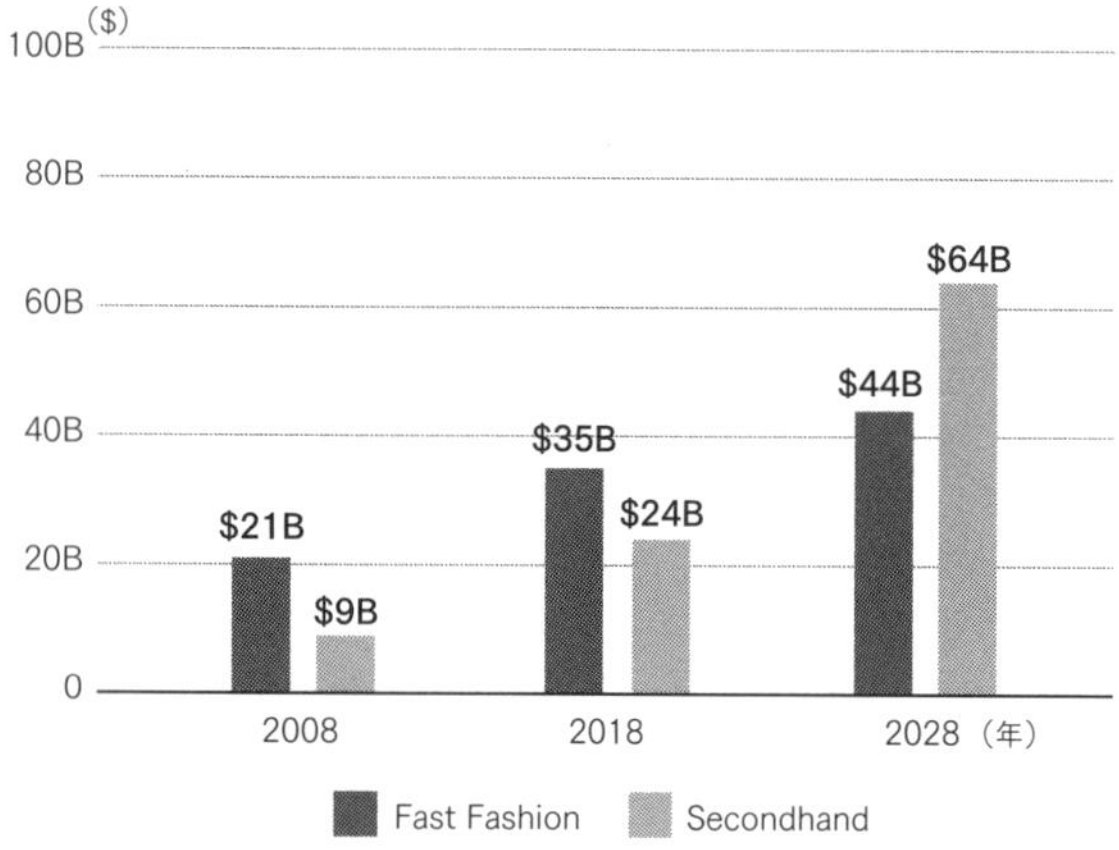

メルカリも、もちろん存在する。

アメリカでのメルカリアプリのリリースは2014年9月。2016年6月に1000万ダウンロードを突破。2017年6月には元フェイスブック社VPのジョン・ラーゲリン（現在はメルカリUSのCEO）が参画し、同年11月にダウンロード数3000万を超える。

2018年11月の公式プレスリリースによれば、ダウンロード総数は4000万超とされ、2019年6月に来日した同氏によると、直近のアメリカ版メルカリアプリのダウンロード数は約4500万で、App Storeのレーティングも参入当初の3・4から4・8まで向上し、アメリカで1日に15万もの商品が出品されているという（CNET Japan「メルカリ、米国では『1日に15万件の出品』――〝認知拡大〟が勝敗の鍵」2019年6月14日 https://japan.cnet.com/article/35138469/）。

アメリカでは営業赤字が続いているとのことだが、2019年6月期の第3四半期累計（2018年7月~2019年3月）の流通総額（GMV〈Gross Merchandise Value〉）は1億3000万ドル（約110億円）で、前年比70％増の成長を遂げたとし、同氏は、今後は「単月で1億ドル」を目標にするとのことだ。

UK版メルカリのローンチは2017年3月15日。だがこちらは2018年12月18日にクローズが発表され、サービスが閉じられている。

メルカリの「人」を伝えるというコンセプトの「mercan」という公式ブログ（https://mercan.mercari.com/articles/16432/）で、UK版メルカリのローンチを担当した正木貴大氏が述べたところによると、イギリスは、EC先進国でアマゾンやイーベイを当たり前のように使いこなし、生鮮食品ECや、商品を一時的に保管できる無人ロッカーなどもけっこう普及しているなど、日本よりもはるかに先に歩みを進めていたという。普段の買い物も、スーパーへ買い物に行くよりアプリで注文している人が多かったというのだ。

そんな中で、メルカリアプリありきのローンチをしたUK版は、他のアプリとの差別化に苦労する。つまりローカライズがうまくいかず、撤退を余儀なくされたということだろう。

日本国内においては、2019年11月15日から、越境販売を開始している。これはメルカリが、越境ECサポートの代理購入サービス「バイイー」と連携して行うものだ。これにより、メルカリに出品された日本国内限定の商品を海外からも購入することが可能になった。

この背景には、ウェブ版メルカリへの海外からのアクセス数が2017年から約6倍に増加しているということがあるという。

バイイーは、世界100以上の国・地域に対応し、会員数は100万人を超える代理購入サービスだ。この連携により、これまでサービスを利用できなかった海外居住者がメルカリの出品商品を購入できるようになった。ただし、メルカリ出品後、一定期間を経た商品が対象になるという（https://about.mercari.com/press/news/article/20191115_crossborder/)。

リユースの世界がグローバルに繋がってきている。

さて、それでは海外ではどのようなサービスが評価されているのだろうか。代表的なサービスを俯瞰してみよう。

まず、2015年創業の「レット・ゴー（LetGo）」を見てみよう。アメリカ・ニューヨークが発祥の地だ。このアプリは2018年に約1億ダウンロードされたという。

その特徴は、写真を撮ればすぐに出品でき、何でも売り買いできること。ファッションはもちろんのこと、家具や車、なかには住宅を売りに出す人もいるとか。

そして手数料はかからない。取り引きは、ユーザー同士が直接会ってやりとりすることが基本だ。オンライン上では売買取り引きは完遂できない。なので支払い方法も取り引きの都度異なる可能性がある。そこにはアプリは関与しないからだ。

もう一つアメリカから紹介しよう。

レット・ゴーより早く2011年にローンチしたシアトル発のアプリ、「オファーアップ（OfferUp）」だ。これは、いわば、アメリカ版ジモティーみたいなアプリで、ローカルな売買に重きを置いている。

これまでに約8500万回ダウンロードされ、約4400万人のユーザーがいるという。ロサンゼルス、シアトル、マイアミでは、成人の15％以上が毎月利用しており、靴や、家具から車まで、何でも売買されている。なかでも中古車の売買割合が10％程度を占めている（TECHBLITZ「ミレニアル世代に圧倒的支持を受ける米国発フリマアプリOfferUp」2020年3月18日　https://techblitz.com/offerup/）。

このオファーアップもレットー・ゴーと同様、ユーザーとユーザーが直接会ってモノを交換したり、お金のやりとりをしたりするため、地元警察と提携し、安全性を確保している。一般消費者だけでなく、地元の販売業者も利用しているという。2018年に有料販売プログラムを利用する業者は2000を超えたとのことだ。

資金調達は、2020年1月の時点で26億1000万USドル（日本円に換算すると、約2845億円）である。

100年以上の歴史がある「グッドウィル（Goodwill）」にも触れないわけにはいかない。

グッドウィルの設立は、なんと1902年。マサチューセッツ州ボストンで、生活保護が必要な貧しい移民たちを支援していたメソジストの牧師エドガー・J・ヘルムズによって始められた。廃品の無料回収、修理、販売という仕事に移民たちを雇い、経済的自立と人間としての誇りを回復させることが彼の目標だった。

グッドウィルは服、靴、家具などの寄付品を集め（どんなガラクタでも無料で引き受ける。たとえば、片方だけの靴下、使いかけのガムテープ、壊れたキックボードなど、日本では引き取りを断られるようなものも平然とショップに並んでいることもある）、2000以上の店舗（店舗によって形式はまちまちで、何でも引き受けて量り売りというスタイルも）とグッドウィル組織によって運営されているインターネットのオークション・サイト「ショップグッドウィル・コム（shopgoodwill.com）」でリユース品の販売をしている。

2005年のデータによると、組織全体として延べ5850万人からの寄付があり、20億6500万ドルの収益を上げている。その61・6％にあたる10億ドル以上がリユース品の販売から得た利益だ（データはいずれもWikipedia）。

KonMariメソッドに触れたときに、退蔵品の受け皿として名前を挙げたあの、グッドウィルには、これだけの歴史があるのだ。この団体がある種、アメリカの価値観を表しているというのもさもありなんというところだ。

イギリスには、「ディポップ（Depop）」というサービスがある。

これは、リユース専門のインスタグラムみたいなアプリで、感度の高いファッション・マーケットプレイスとして機能している。

アプリは、約1300万ダウンロードされており、Z世代と呼ばれる若者が好んで使っているという。ユーザーの約90％が26歳以下だということだ。

インターフェースはほぼインスタグラム。写真をアップして、アプリ内で売買できる。どんなリユース品をアップするかで、自分のオシャレ度をアピールすることにもなり、ディポップは、セルフプロデュースにも使われている。今では、アプリ内で人気のユーザーなども登場し、そういう人が勧めるリユース品はどんどん買われていく流れができている。

この点もインスタグラムと似ているといえるだろう。

巨大市場、中国ではどうか。

中国や新興国のトレンドとしては、都心に住んでいる、情報感度が高く十分な可処分所得のある若い富裕層が新しいモノを買っている。彼らはリユースにもだんだん関心をもち始めているので、モノがどんどん循環し出している。

そして彼らにとって不要となったモノを、今度は地方の人たちが購入するという流れが出来上がっている。地方の中にもだんだんと経済力が上がってきた人たちの間で、最新のトレンドに対する興味・関心が高まり、リユース品でハイブランド品を試すようになっている。

そうした流れを加速させているアプリの一つが、「ウィーチャット（WeChat）」という中国初のメッセージアプリだ。

日本でいえばＬＩＮＥのようなこのアプリは、２０１１年から運用されている。２０１５年2月の時点で、登録ユーザー数が約11億２０００万人（これ以降、登録ユーザー数は非公開）。20以上の言語で利用可能で、２００の国と地域をカバーしている。

また、70を超える国と地域で使われる、利用者数ナンバーワン・ソーシャルアプリだとされている（いずれもWikipediaより）。

このメッセージアプリが、なぜリユース市場を盛り上げているのか。その秘密はウィーチャットの「ミニプログラム」というソリューションにある。

ミニプログラムは、ウィーチャット内でかんたんに設置することのできるウィジェットのようなもので、この機能を使えばモノの販売が容易にできるようになる。

ウィーチャットには決済機能もあるので、それらの側面を考え合わせれば、これはもはや単なるメッセージアプリではないことが容易にわかるだろう。

日本ではまだ聞きなれない「微商」という言葉が、２０１５年頃から中国で使われ出した。これは、ウィーチャットを通じた商品販売のことを指す言葉だ。

ＭＡＵ（Monthly Active Users）が10億人以上存在するとされるウィーチャットのユーザー

をそのまま見込み顧客層とし、ユーザーや企業が、ミニプログラムを使って商品の販売および購入を行うわけだが、微かな商いというには、あまりにもその市場規模は大きい。

2019年は、中国における「ソーシャルEC元年」だといわれている。

ソーシャルECとは、ユーザーが直接、店舗から商品やサービスを購入するのではなく、SNS上の信頼や評判を介して購入するという、いわばソーシャルメディアがECの主戦場になるという考え方。

そこに、2019年1月9日で公開2周年を迎えた「ウィーチャット・ミニプログラム」が大きく貢献している。

開発元の騰訊《テンセント》が行った2周年公開セミナーでは、次のようなデータが公表されている。

小売業界において、ミニプログラムは2018年に約2億人にサービスを提供したとされ、これは約1500店舗のコンビニの展開規模に相当するとのこと。

またミニプログラムで実現された機能として、バーコードスキャン購入、顔認識、パスワード不要決済、アフターサービス、配送状態の追跡などが紹介された（「WeChat『ミニプログラム』の機能・使い方とは？　中国ECを攻略するために知っておくべきこと」2019年5月20日　https://netshop.impress.co.jp/node/6472)。

このミニプログラムは、中国におけるリユース市場のイノベーションに欠かせないものになっていくだろう。

日本と異なり海外には、まずチャリティの文化がある。そのことを背景に、人々の中にもそもそもリユースは良いことであるという肯定感が日本よりも強い。

現状は、リユースが良い行いであるという側面に加えて、なおかつトレンドに敏感な人が、リユースはオシャレであるという感覚をもち始め、新たな価値づけが生まれ始めたというところではないだろうか。

一方で残念なことに、リユース業界だけを見ていると意外と気づかないこととして、外からのイメージがまだまだ悪いということがある。これは質屋の歴史の中でも触れたことだが、質屋に社会的に大きな意義があっても、負のイメージがつきまとってしまうことと似ている。

中古は汚い、ダサい、あるいは騙されたといった、悪いイメージがまだまだ残っているのである。やはり、業界全体のイメージを上げていくことがどうしても必要になる。

リユースに対する、格好いい、オシャレといった付加価値の部分では、メルカリがC2Cの領域でグンと牽引してくれた。それに加えて、Bサイドとしては、リユースは社会的な意義のある領域で、これからの世界のトレンドであるということを打ち出していかなければいけない。

世界的な市場やサービス、アプリがどう取り組んでいるのか。それにヒントを得て、うまく取り入れて日本のリユース市場をマーケットプレイスの立場で牽引していきたいと思う。

イーベイとのタッグで越境ECを加速させる

日本を中心に循環していたリユースのサイクルは、世界を中心に循環するようになると、私は考えている。サイクルの輪が大きくなるといえばそれまでだが、その背景には日本のリユース品に対する海外需要の高さがある。

リユースの価値をさらに上げていくために、マーケットプレイスとしてウリドキは、2019年9月26日、日本企業の「越境EC」を支援するイーベイ・ジャパンと業務提携した。ウリドキはこれまで説明してきたように、ユーザーと買い取りショップとをマッチングさせるプラットフォームを展開してきた。その事業を通じて、リユース店とのネットワークを有している。

一方、世界最大級のオンライン・マーケットプレイスであるイーベイは、一度、日本から撤退したものの、日本セラーの越境EC支援を行う事業体としてイーベイ・ジャパンを設立。日本での事業に返り咲いていた。

イーベイの190カ国に広がる世界最大級のマーケットプレイスは、アクティブバイヤー数1億8200万人、出品数14億、取り引き高約10兆3000億円のスケールを誇っている。日本からの配送先（つまり日本からのモノの流通先）としては、北米約57%、ヨーロッパ約

18%、アジアが約16%と世界中に拡大している。

このワールドワイドなマーケットプレイスと、ウリドキのネットワークを結びつけようというのが今回の提携の狙いだ。

イーベイを利用して日本から出品されている商品のうち、実に約6割を中古商材が占めている。イーベイ・ジャパンのビジネス開発部部長・岡田朋子氏は、アメリカのバイヤーに対して行ったアンケートを用いて、日本の中古市場には次のような魅力があるとしている。

・古物商のライセンスを持ち、真贋鑑定ができる目利きによる正確・丁寧な商品説明
・それゆえモノの状態が良く偽物が少ない
・高品質なのに価格が安い

その他にも挙げるとすれば、オタク文化や日本カルチ

図表17【USバイヤーアンケート】
なぜ日本から中古ブランド品を買うのか？

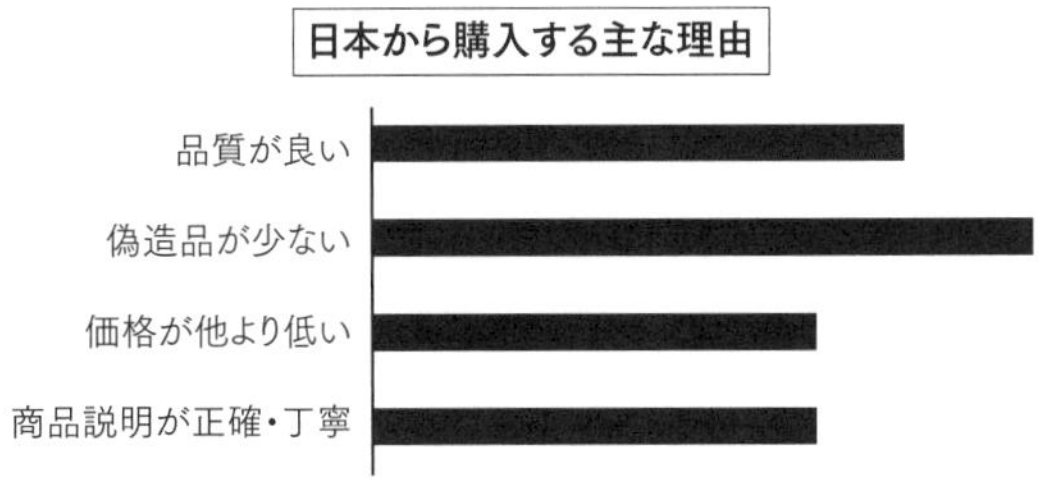

イーベイ・ジャパンとウリドキの業務提携記者会見資料より抜粋

ャーなど、日本にしかない商材があるということもあるだろう。

これはまさにユーズド・イン・ジャパンの価値を端的に表しているといえる。世界のマーケットは日本のリユース品に熱い視線を注いでいる。一方、われわれウリドキからすれば、ジャンルによっては越境販売による高い値づけが期待できることから、これをリユース品の掘り起こしの一助にしたいと考えている。

越境販売において、日本のリユース品がどのような価格で売買されるか、いくつか例を挙げてみる。

たとえば、オメガの時計をイーベイを通じて越境販売すると国内価格の138・9％で販売できた例がある。あるいは、フィギュアでも同様に、『ドラゴンボール』の亀仙人は、越境販売だと150・6％、孫悟空は156・4％もの価格になる。

中国から日本に爆買いに来ている人の中には、ジュエリーなどのリユース品を求めている人が多数いることは、本書の前半部分で触れた。それは中国の経済が好況を呈していたという背景がある。

それとはまた違った側面から、中国人が日本にある中国骨董品を買いに来ているという事実がある。

中国では1966年から1976年まで、中国共産党中央委員会主席毛沢東が主導した文化大革命の嵐が吹き荒れた。その運動では、マルクス主義に基づいて宗教が徹底的に否定され、教会や寺院・宗教的な文化財が破壊された。多くの伝統的な骨董品が失われてしまったのだ。中国に残っていない、日本に眠っている中国骨董品を、今、中国人が高額で買い戻している。

日本のリユース品は海外と取り引きすることで間違いなく価値が上がっていく。そうであるならば、必然的に日本のリユース市場は世界経済との結びつきを強くしていくことになるだろう。

今回の業務提携によって、ウリドキにイーベイの流通価格データが提供される。これによって、今、イーベイではいくらで売れているのか、査定対象商品の海外実勢価格が把握できるようになる。このことによってリユース品の世界市場におけるニーズをもとに、より高い買い取り価格での査定が可能となり、これまで以上の高値で販売できる商品が出てくる。この動きが加速すれば、やがては日本におけるリユース品の取り引き価格をグローバルスタンダードに近づけていくことができるだろう。

その第一歩として、スマートフォン、カメラ、高級時計、ブランドバッグの四つのカテゴリーからイーベイ・プライスの表示機能をウリドキに実装した。

新たなマーケットを生み出すためにリユース取り引きデータを活用する

第3フェーズは何か。それはリユースの取り引きデータを生かす仕組みを構築するということだ。

ウリドキを通じて、リユース業者にモノを売る人は、次に新しい消費をしようとしている人たちである。自己承認欲求を満たそうと次のアクションを考えているからこそ、退蔵品を手放す。

では実際に、リユース品を手放したあとに、何を購入したのか。そのデータを収集し、それをうまく生かそうというのが第3フェーズである。

たとえば、ユーザーがモノを売った瞬間に、最適な消費を促すレコメンドを付与できたりするのではないか。

当初は、ユーザーがモノを買った瞬間にいくらで売れるのかがわかるというデータ連携を構築しようとしていた。たとえば、1万円のバッグをネット購入したときに、今すぐ売りに出せば8500円、3カ月後には6000円（見込み）、6カ月後には4000円（見込み）といったデータが表示される仕組みをイメージしていた。

しかしどうもこれは、的を射ていなかった。

スタートアップのビジネスを考えるときに、よく出てくるビジネスモデルの比喩がある。そのアイデアは「鎮痛剤なのか、ビタミン剤なのか」という問いだ。

ここでいう鎮痛剤とは、社会課題（痛み）を解決するソリューションを指していると考えればよいだろう。課題が実際に存在していて、それをアイデアや技術で解決する。そんなビジネスプランだ。そういうビジネスは、何らかの課題を抱えている企業・個人から待ち望まれているので、うまくローンチできれば発展が見込める。

ビタミン剤とは、あれば確かにいいかもしれないが、今、絶対に必要なものではないと感じさせてしまうビジネスアイデアだ。

『How to Get Startup Ideas』を著したポール・グレアムは、その著書の中でこんなことをいっている。

"The way to get startup ideas is not to try to think of startup ideas. It's to look for problems, preferably problems you have yourself."
「スタートアップのアイデアを得る方法は、スタートアップのアイデアを考えようとしないことです。むしろあなた自身が抱えている問題を探すことです」

"Why is it so important to work on a problem you have? Among other things, it ensures the problem really exists. It sounds obvious to say you should only work on problems that exist. And yet by far the most common mistake startups make is to solve problems no one has."

「あなたが抱えている問題に取り組むことがなぜそんなに重要なのかというと、何よりもまず、問題が実際に存在することを保証してくれるからです。存在する問題にのみ取り組むべきだというのは明白でしょう。それでも、スタートアップが犯す最も一般的な誤りは、誰も抱えていない問題を解決しようとすることです」

あれば嬉しいが、特になくても困らないサービス。

さて、私たちが最初に考えた買った瞬間に売り値がわかるサービスは、実際の問題の何を解決できただろうか。

個人なり企業の購買に際して、すぐに売り相場がわかる。「なるほどね」とは思うかもしれない。しかしそもそもそれは必然性があって、あるいは欲求を満たすために購入されるわけで、買った瞬間に売り値が判明しても、次のアクションを起こしようがないのではないか。そういう意味で、私たちは〝誰も抱えていない問題を解決しよう〟としていたのである。

そこで考え方を変えてみる。売った代金で次に何を消費するのか。そのデータなら求める人がいるのではないか。

たとえば一つの架空の例として、ブランドバッグAを売った人は、○○%の確率で2カ月以内に海外旅行に行くという傾向がデータから摑めたとする。旅行産業に関わる人なら、このホットターゲットに確実に自社のモノやサービスを告知したいはずだ。

リユースのマーケットプレイスから導き出されたデータを、次の消費へ繋げるマーケティングへ生かしていこうというのが、思い描く第3フェーズである。

アカウントパワーを強化するリユースメディア

ここまでリユース、あるいはC2B買い取りプラットフォームの視点から話を進めてきた。が、もう一つ、リユース企業の存在感、デジタルメディアにおけるアカウントのプレゼンスの問題がある。それは越境ECであろうと国内のリユース市場であろうと同様である。マーケットプレイスとしてアカウントを育てていくために、ウリドキでは、リユースメディア「ウリドキプラス」を展開している。

これは「リユースに特化したウェブ雑誌」だと考えてもらえればいい。

たとえば、モノを売ろうとしているユーザーが、「新宿、ブランドバッグ、買い取り」といったワードで検索をかけると、ウリドキプラスの記事が上位に表示される。

そこには、社内ライターが取材して書いた記事がある。

その記事を読むと、〈買い取り店の選び方〉〈ブランド品を高く売るコツ〉といったハウツー情報から、具体的な店舗紹介ページが並んでいる。

店舗紹介ページでは、特徴、買い取り店紹介、買い取り実績、口コミといった記事が並び、マップや連絡先を紹介している。もちろん、そのショップのネット店舗を見に行くこともできるし、買い取り査定をこの記事の中から直接申し込むこともできる。

いわば、ホットペッパーのリユースバージョンである。

このメディアは一部の店舗より掲載依頼をいただいている。

私たちは累計300社以上のリユース店をさまざまな形で支援させていただいてきた。その中でこのメディアへの掲載は、1年ごとの契約になるが、95・3％の企業に継続していただいている。

もちろん掲載企業の買い取り実績の増加に結びついているからである。

少し具体的な例を挙げると、スマートフォンの買い取り件数を増やしたいというリユースショップに対し、月間100件の買い取り増、100万円の売上増を実現した実績がある。

また、漫画・フィギュアの買い取りを強化したいという要望に加え、新しく骨董ジャンルをやっていくに際し問い合わせを増やしたいというニーズがあった企業には、漫画月間400件、フィギュア月間70件、骨董品に関しては月間20件の問い合わせ増に結びつけている。

骨董品の場合、CPA（Cost Per Action：1件のコンバージョンを獲得するのにかかった広告コスト）が高くなりがちだが、このサービスを利用することで、CPAを半額に抑えることにも成功した。

また、酒類の買い取りを強化したいというクライアントには、月間40本の買い取りに繋げることができている。酒類は、ユーザー側に手持ちの酒類が売れるということがあまり知られておらず、オンライン上で買い取りを増やすことはそれなりに難しい。

この40本には高級ワインなどの高額酒類が含まれており、以来、定期的に100万円を超える買い取りが成立している。

リユースメディアは個店のメディアでない分、第三者的な立場で優良ショップを紹介できる。だからこそ信頼関係が構築され、ユーザーにとってもショップにとってもより良い「場」が出来上がっていく。

C2B買い取りプラットフォームとリユースマガジンは、いわばリユース市場を活性化する両輪で、三つのフェーズ（退蔵資産の掘り起こし→越境販売によるリユース資産価値の向上→

取り引きデータを活用した次の経済サイクルの構築）を駆け上っていくためのエンジンである。

すべての起業家に必要な資本は、「学び」と「人脈」

私たちのこうした取り組みは、大きくは世界経済の潮流、ＳＤＧｓやサーキュラー・エコノミーに繋がるものだ。退蔵資産の売買インフラとして循環型経済の一翼を担う。

そしてもう少し日本にフォーカスした視点でいえば、リユース品の循環を生み出すことで外貨を獲得し、日本経済をもう一度活性化することが目標である。

そうした私の思いはどこからやってくるのか。それを考えるとやはり幼少期の、バブル崩壊によって始まったさまざまな体験が頭をよぎる。

私の父を、私の生まれ育った家庭を翻弄した〝経済〟というものは一体どういうものなのか。それを、自分自身で起業したビジネスを成功させることで詳《つまび》らかにしていきたいという思いだ。

このウリドキというマーケットプレイス・ビジネスは、私にとってアウトプットの場である。課題に対して自分なりのソリューションを見つける場である。

では、インプットの場はどこにあるのか。それは私の場合は、研究である。私は大学で経営を学ぶ途中で、仲間と1度目の起業をした。

何かに突き動かされるように行動を起こしたのだが、当然ながら、経営の何たるかをわかったつもりなど毛頭なかった。それゆえ、慶應義塾大学大学院システムデザイン・マネジメント研究科に進み、システムデザイン・マネジメントを専攻した。

もともと、実務は苦にならないし、いやむしろ進んでやってしまうようなところがあったり、データをいじったり、分析することにたまらない喜びを感じるタイプだった。

大学院に進学してみると、私のそういう側面を見て「研究者に向いている」と教授から評価していただいたこともある。

起業して日々のビジネスに取り組んでいる中で、私は実体験こそがすべてだと思っていた節がある。だがそこに邁進していくと、意識せずともある種の偏りに陥ってしまう。

自分の見える範囲で考えてしまい、手の届く範囲でしか行動が起こせなくなる。目の前のビジネスに集中すればするほど、そういう狭窄的な視野でものを考えているということにすら気づかなくなってしまう。

しかし、アカデミックな場に身を置くと、途端に視野が開けるようなことがある。自分のまったく知らない角度からトピックスが出てきたり、そもそも分野の異なる研究者と出会うことで、思いもよらぬ話を聞けたりする。

すると、横断的にさまざまな知識に触れることができ、視野が広がり知識が深まっていく。

これがビジネスに生きないわけがない。

先行研究を読み進めると起業家には二つの資本が必要であることがわかる。それは「人的資本」と「社会関係資本」といわれるものだ。

人的資本とは「学び」である。起業家である自分自身に対する投資だ。人としていかに豊かな存在となるか。

それに対し、社会関係資本とは「人脈」だ。いかに良い人的ネットワークの中に身を置くか。それがのちのち効いてくる。

ビジネスチャンスの発見に有効なのは人的資本だといわれている。

起業のアイデアは個の力で見つけなければならない。それはただ漠然と考えても見えてこないもので、社会を見つめる能力を身につける学びが必要だということになる。チャンスはそこかしこにあるが、人的資本がなければそもそも気づけないのだ。

それを超えてビジネスで利益を上げるフェーズに入ってくると、人的資本よりは社会関係資本が効いてくる。良質の人脈をどれだけ広くもっているかがビジネスの発展には欠かせない。

ただ、この二つは独立してあるのではなく相関している。自分自身が良い人的資本であることによって、良い社会関係資本が生まれるのである。

私の場合、人的資本への投資は、主に大学院での研究ということになる。私の研究テーマは

「起業家行動を促す指針と手法の提案――ベンチャー企業の成長過程に潜む『日本型死の谷』の克服支援――」。概略としては次のような内容の研究を行った。

一般的にベンチャー企業の多くが、創業後しばらくして「死の谷」といわれる資金不足の状態に直面する。そこで私の研究では、起業家が死の谷を乗り越えるために必要な行動を自ら発見できるようにするにはどうしたらいいかという点を検証するために、死の谷を克服した8人の起業家にインタビューを行い、14の指針と手法を提案した。

そしてその指針が、起業家行動のどのタイミングで重要となるのか、事業創造をするプロセスとの対応関係を明確化した。

最終的には、これらから導き出されたチェックシートを、死の谷を克服していない起業家が利用することによって、必要な行動を自ら発見できるかを試みた。

こうした研究の過程において、アカデミックであれビジネスの世界であれ、さまざまな人とコミュニケーションをとることになる。私の問題意識は多くの人に晒され、指摘され、変容したりしなかったりした。その内在知であれ外在知であれ、人的ネットワークであれ、すべてが今度はビジネスのフィールドに生かせるものとして返ってくる。

これらのことは起業家の世界の中だけのことではない。やはり私が目指す街づくりには、たくさんの仲間が必要であって、それはまずもって社員に他ならない。私は彼らとともに世界を変えるC2Bプラットフォームをつくろうと思っている。それはこれからの社会が目指さなければならない循環型の社会の基盤となりうるものだと信じている。

私が創り出そうとしているリユースの街は、今や世界中の都市がシームレスに結びついているように、あっという間に世界中と繋がっていくだろう。

そのためには、すべての売り手と買い手に安心して利用してもらえるプラットフォームでなければならない。

新型コロナウイルスによって世界はパンデミックに陥り、人の行動がかなりの部分において制限された。やがて世界はこの状況を克服するだろうが、同じような危機は繰り返し私たちを襲うかもしれない。

そのとき、デジタル上にあるさまざまな街、コンテンツ、モノ、サービスなどが、今以上に世界の発展に貢献することになるだろう。

本書をお読みいただいたみなさんが、自分の退蔵させているモノを資産として見出し、リユース市場を通じて、循環型経済に参加するようになってくれれば、これにまさる喜びはない。

「あなたが売れれば、世界はもっと良くなる」

私はこれを信じている。

次章で、今現在、リユース業界の中で、ユニークな取り組みをしている代表的な会社を紹介しておきたい。彼らは、間違いなく循環型経済の現場で頑張っている仲間たちだ。大きな経済の転換のタイミングで、現場ではどんなことが起きているのか。

ぜひ、ご一読いただければと思う。

第11章 リユース市場を盛り上げるプロ集団たち

2019年12月からYouTubeで「リユースチャンネル」を開設した。今、日本で加熱しているリユース市場の現状、最新のリユースニュース、リユース企業の経営者たちとの対談などをお届けしている。本書を手にとってリユース業界に興味をもたれた方はぜひ、こちらも合わせてご覧いただければと思う。

https://www.youtube.com/
channel/UCEg40sSpLlzFA10GmIg-KCQ

このチャンネルにご登場いただいた企業の中から、本書では、ユニークな取り組みを実践している8つの事例をご紹介したい。現場のリアルな声から、今のリユース市場がどんなポジションにあるのか、感じ取っていただければ幸いである。

Company 01

ラクサス・テクノロジーズ株式会社

Laxus

代表取締役社長
児玉昇司さん

ラグジュアリーという価値をシェアし、使ってもらうブランドバッグ・サブスクリプション

36万人以上の会員数を誇る月額制
使い放題ブランドバッグ・レンタルサービス！

◆月額6800円でブランドバッグ借り放題・使い放題

借りるだけではなくて、手元にある使わないバッグなどを出していただき、これを他の方にお貸しするブランド品シェアのお手伝いもしています。いい方を換えると、バッグを金融資産に換えてしまうということにもなるかと思います。

◆最初は稼ぐことしか考えていなかった

18歳の頃から会社を経営していまして、今の会社で4社目です。若い頃はとにかく儲かればいいという考えだったんですよね。今思うと、お金を儲けることは、何かになるための手段ですよね。私はその頃、稼いだお金で何をするのかというところまで考えていなかったんです、実は。でも、スティーブ・ジョブズがiPhoneを出して世界を変えると宣言した。これはすごいと思いました。私も世界を変えていけるようなことをやりたいと思って始めたのが、今のラクサスです。

◆仮面の中を知るために

ここから得た経験は、ユーザーは嘘をつくということです。マーケッターもまた然り。ペルソナをつくってきますから。20代の営業職、渋谷に住んでいてZARAを着ている。電車通勤で、休日は……云々。そういう話を聞かされると「そんな人いるの？」と言い返してしまいます。「いや、いません、ペルソナです」っていわれるんですけど。

ラクサスでは、ペルソナなど架空の人物像を用いずに、一人のユーザーにロング・インタビューをすることにしています。そしてインタビューの最初の15分、30分は全部捨ててしまいます。ユーザーがつく嘘を排除するためです。

たとえば「コンビニでご飯買いますか？」とか、「ファストフードを食べますか？」と聞いたとすると、最初のうちは「いや、そういうの体に悪いから食べないの、私」などとほとんどの人が答えます。30分過ぎたところで今度は「昨日何食べましたか？」と聞いてみる。すると「あ、昨日忙しかったんで、ちょっとコンビニ行きましたね」となってくる。

周りに他人がいるグループ・インタビューだと、もっとダメですね。本音が出てこない。

なりたい自分があって、その話をするんですよ、みなさん。

「ペルソナ」とはそもそも〝仮面〟という意味ですが、私が知りたいのは仮面の中なんですよね。

◆起業は失敗の可能性を減らしていくゲーム

成功には「運」が絶対に必要です。自分の成功に運は関係ないという人がいるとすると、それは感謝のない人ですね。

ただ、運だけでも成功できない。起業というゲームは失敗の可能性を減らしていって、どれだけユーザーの目線に立てるかっていうことだと思うんです。本当にユーザーが欲しがっているものをどのような形で提供できるかということがポイントです。

たとえば、弊社では月額6800円という一つのプランしかありません。ところが、後発の会社だとだいたい複数プランをつくるんですよね。プラチナプランとかダイヤモンドプランとか。とてもわかるんです、そうしたくなる気持ち。

ユーザーは「こういうのもあったらいいね」というようなことをいうからです。でも、大事なことは一つだけです。それは「これだ」「これしかない」っていうプランを一つだけ提供するということです。それこそが経営者の責任です。

マーケティングの本がたくさんありますよね。そういうところには、たとえば三つのプランを用意して、真ん中のプランを選ばせるなんてことが書いてある。あれは、マーケッターになりたい人に刺さる本で、そんなことは実際のマーケットでは通用しないですね。

普通のコンシューマーはそうではありません。私の会社でも通販に力を入れていたことがあって、あるときに、マネージャーから売り上げが下がっていると報告を受けたので見に行くと、プランが溢れかえっている。それをスパッと捨ててスタンダードな標準モデルだけにすると、あっという間に売り上げが回復したということがありました。

プランがあるとユーザーは考え込んでしまって、決断が遅くなってしまうのです。だから、「これしかない」から「これを買う」という意思決定をさせることが大切です。

◆80点を超えるコアバリューを

人の話を聞くのはいいんですが、聞きすぎてしまうと尖ったアイデアが丸くなってしまう。あれもこれもと広げていくということは、自信がないから足していっているということです。でも、20点のプランを足して合計で80点を超えたとしても、誰も素晴らしいプランだとは思わない。脇道は脇道でしかないんです。一つのコアバリューが一気に80点を超えているようでないと新規ビジネスはうまくいきません。

◆チャーンを起こさせない

ラクサスのビジネスはサブスクリプションモデルです。サブスクリプションでは、継続率がＫＰＩ（Key

Performance Indicator：重要経営指標）になります。

だから、顧客がサービスを解約するチャーンが起こらないようにしないといけない。そのためにはいつ離脱が起きているのかを分析することから始めます。

うちの場合は2カ月継続してもらったユーザーの離脱は起きないことがわかった。平均すると98％が継続してくれる。

それがわかれば、今度はどうやったら2カ月目を使ってくれるんですかということになる。月額6800円の利用料に対して、初月に1万円分のポイントをつけています。これが初月分を無料にすると、ユーザーは1カ月でやめてしまう。そうではなくて1万円分のポイントをつける。すると初月の月額6800円を支払ってさらに3200円分のポイントが手元に残ることになる。

こうなると、不思議なもので1カ月で解約してしまうと、3200円分のポイントを失ったことになるので、損した気分になる。本当は得をしていないだけで、損をしているわけじゃないのですが。

◆売り上げアップの三要素

売り上げ増加には三つの要素があると思います。一つ目が新規顧客の獲得。二つ目がチャーン対策。三つ目が顧客のロイヤル化です。

今、新型コロナウイルス禍で新規顧客が獲得できないと諦めてしまっている経営者がいますが、そうではなくて、新規顧客の開拓は一つの要素でしかない。リピーター化を促し離脱を防ぐチャーン対策があるし、ロイヤル化の側面でいえば、新しい高単価な商材を開発して売ればいい。すべてにチャレンジしなければダメだと思います。

ラクサスでは、新規の顧客はとれていないものの、前月比マイナス3％で留めています。新規顧客獲得に向けていたリソースを、今、すべてチャーン対策とロイヤル化に注ぎ込んでいます。

こうした対策は、ある程度、座学で学べるわけです。失敗例を学んで、それが起きないよう食い止めていく努力をすればいいのです。勉強もしない。ユーザーの声も聞かない。毎日同じことを繰り返している。それでも自分だけは成功するはずだと思い込んでいて、人とは違う結果を期待するなんて、あり得ないと思うんですよね。今までと同じことしかやらなかったら同じ結果しか生まれない。何かにトライして初めて違う結果が出るわけですよね。

◆ダブルプランで顧客のロイヤル化を図る

バッグが二つレンタルできるダブルプラン（月額1万4600円 税別）があります。継続利用されているお客さま限定で案内しているプランなんですが、これが飛ぶように売れていきます。

やはり手元に二つ、三つバッグがあったほうがファッションとして楽しめる幅が大きくなる。だからハッピーになるんです。

私たちのコアバリューは〝とっかえひっかえ〟です。それを理解している人が要望するバッグなら100％仕入れる。そして二つのバッグを自由に使ってもらうわけです。

◆シンプルが難しい

私は、シンプルであることがとても大切だと思っているんですよね。でも、シンプルというのはかんたんなことではないんです。何か勘違いして、簡素とかかんたんにすればいいんだろうという人がいるんですが、度胸がないとできないですし、その度胸もちゃんとしたデータの上に獲得するものなのであって、何もないところでいきなりどんどんやるんだったら、それはもうほとんど事故レベルの話ですね。

◆とにかくバッグを仕入れさせた失敗

あるとき、商品強化のために「とにかくバッグを買ってこい」と弊社のバイヤーにいっていたことがあるんです。そうしたら、20代前半の社員が何億というバジェットをもって、卸に出向いて高値で買ってきてしまった。自分たちで自分たちの相場を上げてしまったわけです。これがけっこう大変で、1・5倍くらいの値段になってしまった。これをやらせたのは私です。KPIの設定をバッグの買い取りにおいてハッパをかけていたんですが大失敗でした。

◆バッグの定価を表示した失敗

定価を表示してしまったという失敗もありました。そうすると、ユーザーは高いものから順に借りていくんです。お得感を求めるので。それですと、もうファッションを楽しむ気持ちとは違って、お得感を得たいだけになってしまう。これでは〝とっかえひっかえ〟というコアバリューに繋がっていかないので、これも失敗でした。けっこうすごい失敗してるんですよ。

◆バッグにチップを埋め込んで、商品管理を新しくする

バッグをシェアするということは、期間が終われば返却されるわけです。戻ってきたバッグを単に倉庫に戻すだけだったら、それは紛失したに等しい。アルバイトが倉庫の隅から隅まで探しまくるなんてことになってしまう。

そんな無意味なことにコストはかけられませんから、弊社では、埋め込まれたICチップをスキャンして、PC上で返却されたバッグに新しい管理番号を振ってしまいます。そうすると、2人で500～600個の発送はこなせるようになります。さらにいえば商品知識がいらなくなります。アルバイトで入ったらすぐにスキャナを持って現場に出るという感じです。

そうやってやっていくうちに、実はバッグのことを覚えていくんです。スキャンで楽に仕事ができるから、その余裕があって商品へ関心が向くんですね。

◆データ分析で顧客の潜在ニーズにリーチする

たとえば、ミュウミュウとバレンシアガが好きな人は、プラダが好きだということがデータ分析からわかります。あるいは、朝日の絵が好きな人は、シャネルが好きなんです。シャネル好きはグッチが嫌いです。もちろん例外はありますが。そして、ご本人たちは、自分のこうした傾向をわかってはいません。なので、水面下でアプリをカスタマイズします。シャネルをよくレンタルする方のアプリにはグッチの商品を表示し

ないとか。

それから、アプリ上でGPSをオンにしてる人に関しては、たとえば、ルイ・ヴィトンのお店に入ると「今、ルイ・ヴィトンのお店にいますね。ラクサスでもありますよ」とプッシュ通知が行く。で、その日の夜になると、アプリ上で勝手にルイ・ヴィトン祭りが始まっている。うちは、ルイ・ヴィトンさんから直接バッグを買い付けているんで、そういうことができます。

◆ラクサスの未来戦略

ラクサスのコンセプトは「ラグジュアリーを安く使いましょう」ということです。使っていいと思ったモノはしっかり買いましょう。そこに繋げていく。今、セリーヌなどのデザインを真似たものがデパートで1万~2万円で売られています。それは、ブランドに対するリスペクトが足りないということじゃないですか。セリーヌのデザイナーにフィーが払われないわけですから。デザインを真似ているだけのバッグを買って使い捨てていくのなら、本物を使おうというのがうちのメッセージです。

ラグジュアリー・ブランドからきちんと購入し、それを全国の人に、全世界の人に使ってもらう。彼らのブランドを買い付けて貸すビジネスモデルもあれば、彼らにラクサスを使ってもらってユーザーに新品を販売していこうという方向もあります。

やはり、極東の日本から世界を変えていくということができたらいいなと思っています。

◆ワールドに株式を売却した理由

ワールドが、ラクサスの株式62・5%を約43億4200万円で取得しました。さらにプラス100億円を成長資金として拠出してもらっています。私から見ると、私の持ち株分40%が6%稀釈していることになります。その上で、100億円の資金調達をしたという状況は、時価総額で1600億円の評価をしてもらったことと同義なんですね。この100億円を出した出資者の方ののれんは大変です。

うちはそれをIPO(株式公開)でお返しする。市場から調達した資金でそれを返済するってことになれば決算書も、BS（貸借対照表）もPL（損益計算書）も痛まずにそのままいける。そういうことになります。

◆ワールドでなければならなかった理由

1000人のPVから、10人のコンバージョンが成立したとします。で、この10人が何カ月利用してくれるのか。「コンバージョン×LTV（Life Time Value）」が広告費を上回れば成功です。これが達成できたら、次はPVを増やしていく。100倍にしたら、すべてが100倍になるというゲームですから。

でもそのときに露出を100倍にしようとすれば、広告費も100倍に増えてしまう。これをなんとかしたい。そのために、毎年600万人が流入しているワールドのアクティブな顧客をラクサスにも誘導させてもらうということになっています。

実際は年間5万人とか10万人くらいで十分です。それは、ラクサスを使ってくれた約4割が今度はバッグを購入してくれるからです。すると、使う人が増えればバッグを貸す側にまわる人も増えるといった相関が生まれる。どこを調整していったらどの要素が動くのかという分析はできているので、新製品のバッグはどんどん購入していくものの、テレビCMでの集客はせず、ワールドのクローズドな顧客から調達してくる。これで、広告費のニアリーイコール0が実現できるわけです。

そうなると次のイグジット、IPOなどが近くなってくるので、1600億円の時価総額も無理ではないということになります。

◆サブスクリプションの誤解

サブスクリプションでモノを展開していては利益が出ないと勘違いしている人がいます。しかし、たとえばネットフリックスの制作費のかけ方はものすごい。つまり良質なモノであることが重要で、データであろうとモノであろうと成立するのがサブスクリプション・モデルです。

Company 02

株式会社イオシス

代表取締役社長
中本直樹さん

集中出店で面をつくる

秋葉原ドミナント戦略で急成長

◆20年以上前に中古パソコンの売買を始める

21歳のときに中古パソコンの売買から始めました。23、24年前の話です。10年くらい前から携帯を扱うようになって、そこからスマホ、モバイル機器全体という流れで中古機器の売買をしています。

主に電気街、秋葉原、大阪の日本橋《にっぽんばし》、名古屋、福岡に店舗を出し、消費者向けにお店で買い取り販売をやっています。

◆中古パソコンは一般の人が買うものではなかった

大阪の秋葉原といわれる電気街・日本橋で、10年間くらい2店舗運営をしていて、そのあと秋葉原にも出店しました。

その頃扱う商品はまだパソコンだけで、売り上げでいえば20億円くらいのときです。秋葉原に出店したのは13年ほど前で、秋葉原でもパソコンと電化製品、テレビのバッタ品のようなものを売っていました。

中古パソコンというものは、そもそも一般の人が買うものではなかったんです。パソコンにとても詳しい、いわゆるオタク系と呼ばれる人、パーツだけ取ったりするようなモノ好きな人が買っていくものでした。

ファミリー層が買うようなものではなかったから、電気街でしか通用しなかったということかもしれません。

◆端末料金のカラクリを知って、リユースモバイルを取り扱う

10年以上前に、総務省からの勧告で、一般ユーザーが初めて携帯の端末料金を知ったという時期がありました。それまでは、端末自体に価格がついているという認識があまりなかったんですよね。

そこからキャリアが24回払いといった割賦《かっぷ》販売をやり出して、その24回払いは通話料から割り引きしますという今の仕組みができた。

そのときに6万9800円といった端末代金が明示されたので、ならばこれを買い取って売ればいいと思いました。

◆中古携帯の理解がなく、厳しいスタート

秋葉原の店舗で中古携帯を扱い始めたのも、中古パソコンと同じような理由からでした。携帯に詳しくて、ある程度リスクをとれる人でなければ手を出せなかったんです。

最初に扱ったリユースモバイルはガラケーで、ｉモードの時代だったので、正直あまり売れませんでした。「これ、携帯本体だけで売っているので、回線はまた別です」と説明しないとダメでしたからね。SIMの存在なんて一般には理解している人はいなかったです。

そこで、香港からモトローラの携帯を仕入れて海外に行く人向けに売ったり、壊れてしまった同じ機種がどうしても欲しくて、中古でもSIMを交換したら使えるとわかっている人が買ってくれたりする感じでした。すごく狭い世界でした。

◆スマホの登場とともに数億円の売り上げに！

当時、中古パソコンの売買で年間約20億円を売り上げていました。それに対して、ガラケーのリユースモ

バイルを扱った初年度の売り上げは、おそらく数百万円だったと思います。

売り上げ全体の1％にも満たない。ところが、iPhone 4とか、Android の初期の頃の Xperia などが出てきた頃から徐々に売り上げが伸びていくようになって、リユースモバイルの主流がスマホになってからは、億の売り上げに届くようになりました。

◆物件が少ない秋葉原に集中的に出店

秋葉原は狭い社会なので、1店舗目を出すのはとても大変ですが、1店舗あると、「1店舗もってるんですよ」ということで信頼してもらって、2店舗目が出せて、「秋葉原で2店舗やっています」となれば、3店舗目も出せる。

個人の大家さんが多いので、そうやって信頼してもらう感じです。

結果として、9店舗のうち、秋葉原だけで5店舗になります。売り上げでも、秋葉原の1店舗で、大阪の2店舗分以上になりました。

◆バイアウトしてTSUTAYAに譲渡

イオシスの事業を一度、TSUTAYA運営のCCC（カルチュア・コンビニエンス・クラブ）にバイアウトしました。節目として30代でイグジットしたかったのが一つ。

それから、物販をやっていると、モノ、人、場所に常に資金が必要になる。規模が大きくなったからといって、そこから解放されることはなくて、売り上げとともにどうしても資金調達の額も大きくなっていってしまう。キャッシュリッチになれなかったというのが、二つ目の理由。

このまま、個人オーナーでリスクをとっていくのも厳しい。そうなるとM&Aで売却するか、上場するか。

そう考えたときに、上場は自分には向いてなさそうだと思ったので、シナジーがあるところ、イオシスとして成長できる可能性のあるところと組んでレバレッジを効かせていくのが大事だなと思い、CCCに売却しました。

◆ネームバリューによる信頼を獲得

CCCにバイアウトしたあとも、引き続き経営に携わっています。

以前と比べると、会社としての安心感が高まったと思います。取引先が増えたり、従業員も雇いやすくなりました。

上場したほどのメリットはないかもしれないですが、それと等しいくらいにネームバリューは上がりました。安心感みたいなのは絶対にあると思います。

Company 03

株式会社ものばんく

monobank
MONO↔MONEY

代表取締役社長
吉田悟さん

質屋から生まれた「新しいモノの銀行：monobank」

B2Bオークションをデジタルシフト！

◆山一證券の自主廃業に運命を感じた

祖父が質屋を創業したのが昭和30年。父が2代目で、私が3代目になります。すぐに家業を継いだのではなく福岡の大学を出て、山一證券という会社に勤めました。ですが、私が入社した1997年に破綻をしてしまいます。それで運命的なものを感じまして、翌年の4月までは、倒産整理、廃業整理を手伝うわけですけど、5月には家業に戻りました。

◆リユース業界トップ数社を突撃訪問！

倒産整理を手伝っている期間に、リユース業界ナンバーワンといわれているところ、名古屋の「コメ兵」、横浜の「アールケイエンタープライズ（当時は「カドヤ質店」）」、大塚にある「さのや」、それに「大黒屋」の4社を突撃で訪問しました。ありがたいことに、4社中3社の社長さんにお目にかかれました。当時は下関の田舎にある吉田屋という家業の質屋しか見たことがなかったので、質屋がこんなに可能性のあるものなんだということを各社で見せていただいて、お話もすごく刺激的で、「これちょっと面白そうだな」って思ったことをよく覚えています。

◆質屋とは金融業

質屋というのは、お客さまのモノを鑑定し、その評価額の範囲内でお客さまに融資する業態です。つまり、金融業ですね。日本最古の金融業です。リサイクルショップというのは買い取りのみをやっているということになります。ただ、私たちのように質屋でも買い取りをやっているところも多い。なので、一般的に両者が混同される面があるのかと思います。私が家業に戻った二十数年前から、貸し付けだけではなく「もういらないから買ってくれ」という要望が出てきていました。その頃、取り扱いの95％くらいが融資で、5％くらいが買い取りという感じです。

貸し付けの平均単価は、全国的には2万〜3万円なので、本当に少額金融でした。当時、光本勇介さんがやっていた「ＣＡＳＨ」の世界観ですね。実は私、「ＣＡＳＨ」のニュースがツイッターで流れてきた3〜4日後に光本さんに会いに行きました。

そしてそれは本当に大きな出会いでして、私はこのとき「これこそまさに質屋がやるべきことだった！」とフェイスブックに投稿しました。

◆身の丈に応じた借金ができる仕組みの可能性

未だに、ものばんくベースでいうと、取り扱い高の60％ほどが買い取りで、40％が貸し付けですね。ただ、持ち込まれるものは時計、宝石、それからブランドバッグ系が多くなりました。それでも家電はあります。液晶テレビも常時50〜60台は扱っています。釣り竿とか、ゴルフ道具などもあります。

質屋を利用するということは、自分がもっているモノを担保にして借り入れをするわけですから、「身の丈に応じた借金ができる」という点が大きいです。しかも返済義務がない。モノを諦めれば、貸し付け金を返済しなくてもよい。あるいは金利だけ払えば、質流れにはならずに保管し続けてもらえる。この金融システムは、一周まわって新しく捉え直せるのではないかと考えています。

◆オンライン質屋の可能性

私たちのリソースはどこにあるのかと聞かれれば、それは「質蔵」です。質屋は質蔵でモノを保管することが法律で定められています。この質蔵というものは、各地域の公安委員会の許可が必要なものなんです。つまり質蔵というのは、公的に認められた保管場所ということになります。

この質蔵の許可を得ることが難しい。消防の許可も含め、各都道府県の公安委員会によってルールがまったく異なっていて、入り口が金庫扉でなければならなかったり、防火設備を施していなければいけなかったり。地域によっては、ものすごくかんたんに許可が下りる場合もあります。そういう地域のリユース企業の方たちは、質蔵の許可を絶対とっておくべきだと思います。なぜならば、おそらくオンライン質屋が法律的に認められる方向にあるからです。

今、質屋営業法上は、取り引きの条件として「相対」であることが最低条件としてあります。相対する場所として認められているのは2カ所だけです。一つは質屋。まさに店舗で相対の取り引きをする。もう一つは、質置主つまり借りる方のご自宅。この二つしか認められていません。この2カ所以外で質の業務をすると、質屋営業法違反になります。

そこに今、規制緩和の流れがきていて、経済産業省経由でこの4月にパブリックコメントの募集がありました。オンライン質屋に対してどんな考えをもっているか、ヒアリングが始まっているということですね。

◆質屋が減少したのは、消費者金融が大きな要因

約2000店にまで質屋が減ってしまった最大の要因は、消費者金融の出現で、免許証で10万円、15万円というお金が借りられるようになったことがまず一つ。

もう一つは、日本人のモノに対する考え方がガラッと変わったということがあります。昔は「年越しの借金は残さない」みたいな感覚が日本人の中にはあって、

大晦日は夜中の2時とか3時まで、商品を取りに来るんですね。当時の主力商材は着物でした。年内に借金を終わらせて、着物を引き受けて、それを着て三が日を過ごす文化がまだあって、12月31日は1年でいちばん忙しい日でした。良いモノを買って、それを質草にお金を借りて、食いつないでいきながら、いざというときはそれを出す。それを繰り返して次の世代にモノを受け継いでいったわけです。

今は使い捨ての時代になってきて、いらなくなったモノは売ることが当たり前になっている。当時は売るのではなくて、たとえばオーディオを買ったら、それが親子代々で使われていったものが、今はそうではなくなってきているのが、質屋が衰退していった二つ目の理由だと思います。

◆ブランディングが決定的に不足していた

それから業界全体として、広報という努力を怠ってきたこともありますね。今の言葉でいうと、ブランディングが全然できていない。本来は質屋業界から宅配買い取りみたいな業態が突き抜けて出現するべきだったと思うんです。可能性は十分にあったんですよね。でもデジタルマーケティングの弱さがあるし、ブランディングの弱さがあって、いわゆる買い取り業界にガサッともっていかれたのは、私たちは恥じるべきところだと思うし、学ぶべきポイントだろうなと思っています。

◆既存オークションのデジタルシフト

ものばんくという会社は、B2Bのオークションをやっています。しかし、この新型コロナウイルス禍でオークションを実施できませんでした。2020年3月4日に全社ミーティングをして、日本のオークション企業の中でいちばん最初にオークションの中止を能動的に決めました。そのときには、デジタルシフトするなどとは1ミリも発想の中にはなかったです。ただオークション企業の社会に対するメッセージとして、やめるべきだというのがものばんくとしての判断でした。でもその日の夜中にそういえば！　と思って、エンジニアに連絡して「間に合わせられるか?」って聞いたら、「間に合わせます」という返事だったので、デジタルシフトに取り組むことにしました。

◆20年アナログで鍛えてきたからこそ

質屋という業界をやりながら、B2Bオークションを立ち上げたわけですけど、地方でオークションをやるには、情報を発信しないと誰にも気づいてもらえないということがある。だから私たちは、日本で初めてオークションの落札相場表というものをつくって全国の質屋に配信していました。これ、やらなくちゃ仕方なかったんですね。でないと誰にも届きませんから。

それから、大手のオークションですと通常、5日前までに商品を送らないと受け付けてもらえない。準備期間だったり、下見の期間だったり、出品リストの作成もありますし、とにかくいろいろな時間を考えると5日前には締め切らないとオペレーションがまわらないからです。

しかし地方で同じ条件では勝負できない。そこで、前日までは全力で受け付けますというスタンスをとらざるを得なかった。他のオークションが締め切っても、下関は受け付けます。うちに送ってください! 何でもやります! というメッセージが必要だったのです。

そのためにどんなオペレーションを構築すべきか、徹底的に追究し続けました。それですごく鍛えられていたところがあります。

◆オフラインでできないことはオンラインでできない

オークション当日、オークショニアで競りが終わって「よぉ〜」のかけ声で手締めをします。そこから何分でお客さまを帰すことができるか、何分で全会員にファックスを送信できるかといったことを、ストップウォッチで計りながら20年間やってきている企業なので、オンラインであろうが、アナログであろうが、やり方さえ決まってしまえば、オペレーションをまわしていくという意味では、本当に日本一だという自負はあります。オペレーション部門がかなり筋肉質な組織に育っていたからこそ、デジタルトランスフォーメーションの局面でも瞬発力が発揮できたんだろうと思います。本質的には、オフラインでできないことは、デジタルシフトできないと確信しています。

◆日本でラグジュアリーグッズは売れているのか

私たちはラグジュアリーグッズをメインに扱ってきました。ですが、冷静に見たとき、日本でブランド品は本当に売れているのかということがあります。これは実はあまり議論されていないんですが、年々、売り上げは下がってきている。私たちはついつい、いつまでもブランド品、宝石、時計の買い取りマーケットがある体《てい》に立っていますが、こうした態度には正常性バイアスがかかっていると思います。

日本ではモノがもう売れなくなっている。特にラグジュアリーグッズは売れなくなって久しいわけです、実際は。これから若い人たちがルイ・ヴィトンを買うために仕事をするのかというと、どうもそうはなりそうにない。私も触れたくない怖い部分ではあるのですが、ラグジュアリーグッズに関する買い取りマーケットは、日本では減らざるを得ないとなると、減少するパイの奪い合いになっている。だとすれば、これから買い取りというマーケットの中でどこで勝負すべきかというと、やはりモノが売れている国、中国です。

◆中国・深圳《シンセン》に買い取り店をオープンさせる

海外での買い取り店の展開は、新型コロナウイルス禍の状況も含め、今がちょうどいいタイミングではないかと思っています。SDGsやサステイナブルな社会という価値は、中国にも浸透しつつある中で、今まで買う一辺倒だった国がこれから売るというタイミングに入っていく。いや、でも本当に返り討ちにあうかもしれないトライでもあります。

すでに、香港と北京にも会社があって、北京では「メキキ」（AI鑑定）を中国の質屋に広めていく活動をしています。深圳では実際にリアルの買い取り店を、フランチャイズ含めて展開していくことを目指しています。ただ、言語も違うし、文化も違うので難しさを感じています。

私が現地に行けないので、現地採用スタッフ層とのコミュニケーションがWeChatやZoomに限定されて、OKR（Objectives and Key Results：目標と主要な結果）という目標の設定・管理方法を採用しているので業務自体は回っていくんですけど、スピリッツを伝えていくのが難しくて、かなり不安な滑ぎ出しではあります。

◆リユースマーケットは必ず拡大する。だが、誰もが勝ち残れるわけではない

リユース業界は必ず発展していくだろうと思っています。60％以上の人が買い取りを利用したことがないことからも明らかだし、各家庭にいらないモノが必ずあるのは日本全国でいえることなので、リユースマーケットは絶対に拡大していくんだろうと思います。

ただ、今の業界の形がそのまま拡大に向かっていくかというと、きっとそうではないだろうと思っています。

◆自社のリソースを明確化できているか

私たちは一体何のリソースをもっているのか。そこが意外とこの業界では曖昧なままになっている会社が多いと思います。まだみんなふわっとしているというか。SEOが大事だとなれば、みんながSEOに注力する。MEO（Map Engine Optimization）が大事だとなればそれに乗り遅れまいとする。しかし、ビジネスとしてやっていることに変わりはないわけで、ユーザー体験とのマイナスギャップがあると思っています。

グーグルマップ経由だとか、ウリドキさんを見たとか、そういう経路でやってくるユーザーに対して、彼らがこうであってほしいと願っていた買い取り体験よりも、現状、提供できているものが下だと思うんですよね。なぜなら、やはりそれは自社のリソースというものをきっちり捉えていないからだと思います。

なので、その辺がしっかりしたIT企業などが出てきたときに、リユースマーケットは大きくなるんだけれども、「あなたのお店の強みは何ですか？」という問いに対して、明確に答えられる企業じゃないと、生き残っていけないんじゃないかという危機感があります。ＳＥＯやＭＥＯをやったところで、その企業のブランドが確立されていないところは、今から苦戦していくんじゃないかと思っています。

◆得手同士で手を結ぶ

いろいろなブランドがインストアとしてできていくような、コラボレーションの力によって業界全体の底上げをしていくことが、大事なのではないかと考えています。

私は、毎週水曜日にオンラインシェア学校をやっているのですが、リサイクルショップをやっている方などにもご参加いただくんです。でも何でもかんでも勉強して自社でやろうとするよりは、インストアとして、ものばんくカウンターみたいなものをつくらせてもらえないかなぁといつも思うんです。オンラインで鑑定リソースを提供し、換金リソースはそちらで提供してもらうと。そこでの利益は全部差し上げるので、代わりにものばんくオークションに出品してもらう。そうすれば、すぐにでもこれまで扱えなかった買い取りを始められると思うんですよね。この業界はそれを自社でやりたがるんですが、得意なところを伸ばしていって、不得意なところはどこかと組めばいいと私は思うんですけど。

◆信頼は専門性から生まれる

ユーザーがリピーターに転換する要素として、専門性という要素が高い連関を示します。ところが一人の人間がカバーできる専門分野は限られている。では、カバーできない専門性が求められたときにどうするか。「他者にそれを委ねる」ことです。骨董なら骨董の有名なバイヤーさんに任せる。それを全部自分たちでやろうとして、何でも知ってるふりをしても胡散臭いことこの上ないわけです。全部のジャンルに精通できるわけがないのです。そういう対応が実はユーザー体験の価値を下げていることに、私たち業界は気づかないといけないです。

だから「日本全国のバイヤーとうちは繋がっている

お店です」というのは大きなリソースだと思っています。しかも新型コロナウイルス禍によってオンラインでのやりとりが浸透していく中で、それが許される時代に近づいてきていると思います。お客さまと一緒に「これ、いくらになりますかね？　50万円？　50万円にもなるんですね！　よかったですね～」という楽しみ方、体験をつくり上げることが求められているんじゃないかと最近は思っています。

Company 04

株式会社ベクトル

フランチャイズ展開で発展する〝古着の帝王〟

代表取締役社長
村川智博さん

ショッピングモールの垣根を越えた出品・管理を可能にする自社システムでFCを促進！

◆居酒屋の玄関先、それが原点

法人としての創業は２００３年ですが、２０００年頃からベクトルという名前で実店舗を運営していました。それ以前はまた違う名前でやっていて、さらにその前に出店したときは名前をつけるのを忘れていました。

それは、岡山の居酒屋の玄関で、古着の販売と買い取りの両方を23〜25年前に始めたときのことです。

中学生の頃から私は、スニーカーのコレクターでした。19歳のときに、スポーツクラブでアルバイトしていたんですが、休憩時間になるとジョーダンに履き替えていたんですね。あるときそんな私を見ていたクラブの会員さんから、「君、さっきと違う靴履いてるね」と話しかけられたので、「スニーカー好きなんで集めているんです」という話をしたら、その人が不動産を飲食店に貸しているから、今度そこで一緒にご飯食べようということになりまして。そうして連れていってもらったお店のオーナーがエアジョーダン好きで、スニーカーの話で盛り上がった。すると「開店時間までうちの玄関を使って店やれば?」という話をいただいたので、玄関でお店を始めたのが私の原点です。

でも、半年間、誰一人としてお客さまは来なかったです。

もともと高校生くらいのときから、〝売る・買う・交換する〟ための雑誌に投稿して商売をしていました。ジョーダンを交換したり、売ったり、買い取りしたりしていたんです。なので、玄関は、事務所兼店舗みたいなつもりでした。半年経ってようやく「そういえばこの店、看板がないな」ということに気づいたんですね。それまできっと、店なのかどうかさえ通りかかる人にはわからなかったと思います。

さすがにやばいなと思うようになって、ビデオ屋からアーノルド・シュワルツェネッガーの等身大パネルを譲り受けて、そこにノートを貼って、「スニーカー、服、Gショック。売ります、買います」みたいなことを書いて看板にしてみました。

そうしたら高校生が「ここって、服買ってくれるんですかね?」と聞いてきてくれた。「買い取りますよ。何ですか?」と聞いてみると、ステイシー(＝ステイシーアダムス)を売りたいみたいな話でした。そのあとは裏原が少しずつ流行り出していたので、エイプ(＝ア ベイシング エイプ)やグッドイナフなども売れますかと話があったので、買い取りしたものを、雑誌を使って売っていました。それが19歳のときで、いちばん最初の頃の話です。

◆徐々に噂が広まって「東インド会社」となる

私が最初に出した店の近くに、グッドイナフや裏原系を扱っていた「デラックス」というお店があって、私の名前がムラカワなので、私の名前を知っている人は、当時の私の店を「ムラックス」と呼んでいました(笑)。でも私の名前を知らない人もたくさんいる。噂では、高校生とか大学生の間で「2畳半」って呼ばれていたらしいです。店舗の大きさが2畳半くらいだったんで。

そうやって居酒屋のオーナーが奥にいて、私が玄関で店をやっていたんですが、ある日「お前、もう一軒、店やれ」と居酒屋のオーナーからいわれたんです。「何でですか？」と聞くと、居酒屋を辞めて、海外から食材を仕入れていた関係から、バリの服を売りたいということでした。私は売れないだろうなと思っていたんですが、半分のスペースをお前に貸すから、そこで商売しろということだったんです。

新しい場所は、「東インド会社」という名前のカレー屋の居抜きでした。それでそのまま「東インド会社」という名前で会社を始めました。

◆コレクターアイテムを盗まれ、ベクトルを立ち上げる

実は、自分の気持ちとしては、その居酒屋のオーナーから早く逃げたいと思っていました。その頃は大阪にフリマを見にいったりしていたので、お店を辞めて、自分も大阪あたりで何か一人でやろうかなと思ったり、人から誘われたりもしていたので、そちらに気が向いていたのです。そんな気持ちでいたところ、その東インド会社に泥棒が入って、ジョーダンやエアマックスといったスニーカー類や裏原の服など、ほぼすべて盗まれました。店の奥には靴を片方ずつ並べていたんですけど、それも片方だけ全部盗まれました。

ショックでしたけど、これはいい機会だと思って、店を辞めて大阪に出ようと決めました。あらためて片づけに行くと、たまたま先輩が通りがかって片づけを手伝ってくれたんです。状況を説明したら、「居酒屋のオーナーが嫌で大阪に行くんだったら、俺がお前を店長として雇って、俺がお金を出した体にするから、それで一緒にやらないか？」って言われて、そこで出店したのがベクトルでした。

実際にお金を出したのは全部、私です。居酒屋のオーナーには、「先輩がお金を出してくれるので……」という理由を先輩と取り繕ったわけです。

◆倉庫を増やすと、店舗も増えていった

岡山のお店は10〜15坪で、買い取りをして、インターネットで販売していたんですが、すぐに在庫が増えてモノが置けなくなりました。近くに倉庫を借りよう

としたんですが、倉庫だけというのはもったいない。どうせYahoo!オークション（現ヤフオク！）への出品とか発送はやるわけですから、買い取りもやってしまおうということで、同じ通りに3店舗、半径1㎞くらいの範囲に倉庫兼店舗が6店舗ありました。

◆Yahoo!オークションIDが消える

当時はまだネット買い取りはやっていませんでした。基本的には店舗で買い取りをして、Yahoo!オークションで売るという流れです。

あるとき、Yahoo!がコンプライアンスを強化するということがありました。それでユーザーがショップに対して違反申告をすると、当時は裏づけがないまま、すぐアカウントを消されるという現象が多発しました。アカウントやオークションIDがどんどん消えるので、新しいIDをつくって、従業員全員で徹夜してアップし直して、また次の日に消えるということの繰り返しでした。

実際のところはわかりませんが、私は嫌がらせをされたなと思っています。とにかくこれはまずいわけです。当時、楽天もすごく伸びていて、楽天でも売れると聞いてはいたんですが、Yahoo!オークションに出すだけで精一杯で、フォーマットが違う楽天に出品するのは難しいなと思っていました。

◆新しいフォーマットを連動させる

自社サイトもやりたいと思っていました。ですが、商品をYahoo!オークションと自社サイトの両方にアップしなければならないとか、自社サイトで売れたものをYahoo!オークション上で在庫ゼロにする手間などを考えると踏みきれずにいました。

そんなことをずっと考えていたとき、フォーマットを新しくつくって連動させたらいいんじゃないかと思ったんですね。それで岡山でいろいろ聞いてまわっていたところ、ライブドアの子会社でシステム系の会社があって、そこが「できる」という話だったので、やることに決めました。そのシステムができたら全国展開できるんじゃないかと勝手に思ったんですね。でも私は岡山から出たこともないし、土地勘もないし、規模を広げていくのにそれだけの従業員さんを雇うのは、展開としてなかなか難しい。だったらフランチャイズみたいな形でやれないかと考えました。

◆いよいよフランチャイズ展開へ

今ではもう当たり前のことですけれど、そのシステムは当時、画期的でした。同時出品ができて、在庫管理も連動させることができました。どこかのサイトで売れたら、他のサイトでも在庫が減るとか。あとフランチャイズもできる。成功する確信がありました。

でも、会社の中では、Yahoo!のＩＤはちょくちょく消えるし、社員には不安がありました。そこで、決起集会を開いて、私がこのシステムを使ってフランチャイズ戦略でいくなんてことを言い出したものだから、「あの社長は頭おかしくなったんじゃないか」と怒られた記憶があります。

その頃は、営業マンが誰もいなくて、社員全員が店長、またはスタッフという時代だったんです。私自身も社長兼どこかの店の店長でした。そもそも自由に動ける人がいない。結局はフランチャイズの開拓をやるのは私だけでした。岡山では広まったんですが、スーパーバイザーもいませんでした。

◆全国100店舗まで一時期勢力を拡大

現在は全国に65店舗を展開しています。直営店は14店舗です。実はこれ、店舗数が減った結果の数字です。直営店もいくつか閉めて、一時期１００店舗近くあったものを今は65店舗に絞っています。

今振り返ってみると、時代が良かったんですね。10年以上前だったので、どのお店も儲かりました。ただ、なかなか買い取りができなくなってきたり、競合他社が出てきたり、高い競争力が求められるようになってきたときに平準化できなかった。属人性が高いというか、店長の実力によってお店の売り上げが大きく変わる状態になっていました。同じシステムで、同じ買い取りで、まあ店舗も大きい・小さいありながら、なかなか平準化できなかったところは反省点の一つかなと思っています。

◆フランチャイズ店長の格差

やはりこの仕事は、買い取りが命なので、お客さまと信頼関係がつくれるとか、コミュニケーション能力が高いとか、信用してもらえることが店長として非常に重要なポイントです。長年いいお客さまについてもらうことができる人は、やはり買い取りに対する安心感だったり信頼感だったりがあります。

そういうものがリピーター率などにすごく響いてきますね。ＬＴＶ（Life Time Value）は最近最も気にしていることの一つです。

◆アパレル業界が買い取り・下取りをする時代がくる

子どもの頃から思っていたことがあって、クルマ業界がいちばん中古市場が進んでいると思っていて、新車を売っているディーラーは下取りもやっているし、公認中古車ももっている。本の業界も二次流通のマーケットを同じように成立させている。アパレルは遅れていますが、必ずアパレル業界が買い取りをしたり、下取りをしたりする時代がくるんじゃないかと思っています。

私たちは、そこに参入したいと思っています。私たちのところで「フクウロ」という宅配型の買い取りサービスをやっています。大きな倉庫を借りて、査定員を何十人かおいて、査定して買い取るというもので、そういう場所をもったら、いろんな買い取り・下取りサイトと提携できるんじゃないかと考えたわけです。アパレル業界が独自にやろうとしても、ノウハウがなかったり、売るサイトがなかったりすると思うので。

実際、３〜４年前から提携のお話をいただいています。

◆新型コロナウイルスの影響

小池都知事がステイホームと言い出したあたりから買い取りが増えました。家にいる時間が長くなったので、不要なモノを処分しようという動きだと思います。

何でもかんでも買い取っているわけではありません。そこはコントロールしています。ステイホームになって一時期、断捨離だということで、値段がつかないようなものまで何でもいいから送って買い取ってもらおうという人がいました。そこはお断りしたり、ホームページ上で買い取れないものがあることを伝えたりしました。今の私たちの商売でいえば、単価をコントロールして身の丈にあったところをやりながら、それだけでは次には繋がらないので、イノベーションみたいなことも、どこかでチャレンジできる体制をつくりたいと思っています。

◆リユース連合会という未来

たとえば、マンションで買い取りをやりたいといった話は、いろいろなリユース会社のところに話はきていると思うんです。ベクトルの場合、岡山県ではできるけど、他の県では難しい。アパレルならできるけど、他のものには対応できないとか。そもそも全国でやれるほど査定員がいないから無理ですとか。そういうことが出てきています。そこをリユース企業で役割分担したら、けっこう大きいことができるんじゃないかと思っています。

みんなもっている力が違うと思うので、お互いで強みを生かして繋がることのできる連合会のようなものができたらなと思います。

Company 05

株式会社NOVASTO

リユースの未来がココから始まる。 ReCORE

代表取締役社長
佐藤秀平さん

お客さまデータの〝見える化〟でリピーター獲得を狙う

リユース業専門クラウドPOSシステム「ReCORE」展開中！

◆買い取りは減っている

「リサイクル通信」の調べによれば、30%くらいのリユース会社が苦戦中というデータがあります。私はコンサルティング業務もやっているので、さまざまな声を聞きますが、やはり買い取りの件数が減っている企業が多い印象です。特にリアル店舗をもっている会社は、メルカリやフリマアプリの影響で、かなりしんどい。そこで、リアル店舗の生き残り策を本気で考えようということで、ズバリ「リアル店舗の生き残り策を本気で考えるセミナー」を、ウリドキ木暮社長と2020年2月に東京と大阪で開催しました。

◆そもそも「ReCORE」（リコア）とはどのようなサービスなのか

世界ではじめてリユースの専門家がつくった、リユースショップの業務をトータルにカバーした究極のクラウド型POSレジシステムが「ReCORE」です。買い取りから店頭販売、EC販売、品出し管理、顧客管理、KPI（業績）管理まで、リユースショップに必要な機能がすべて揃っています。クラウド型なので、時流の変化に合わせて、システムそのものも進化し、リユースショップのニーズに応え続けることができます。

属人化しやすい買い取り業務も、オールジャンルのオリジナル商品データベースが7000万件搭載されているReCOREを導入することで、標準化していくことができます。社内スタッフの中に埋もれていた買い取りの知見、スキルをテクノロジーによって商品に詳しくないスタッフにも共有できます。誰でも買い取りができるようになり、スタッフの育成コストを大きく下げることが可能なのです。

そうした機能を利用することで、買い取り作業の40%削減、ウェブ販売にかかる時間の60%削減などを実現することができます。また、帳票の出力や日報の作成時間も90%短縮できるようになります。

こうしたシステムによって、顧客データや買い取りデータを効率的に把握、最適な施策を考え出すことが可能になります。

◆リピーター獲得には、LTV（ライフタイムバリュー）の向上がカギ

さて、リアル店舗が生き残りをかけるということは、いい換えれば「どう勝つか」ということです。POSシステム「ReCORE」によって、私たちにはリユースショップの売り上げ傾向などさまざまなデータが見えています。そこからいえるのは、リユース企業がリアル店舗で勝つためには、「リピーターをどう獲得するか」、もっというと、「LTVをどう向上させるか」この一点につきると思います。1年間にどれくらいお店を使ってくれるのか。どれくらい買い取りにもってきてくれるのか。どれくらい購入してくれるのか。それがLTVの意味です。このLTVを向上させることに必死にならなければいけない。

◆LTVを上げるには「単価」と「頻度」の掛け算

LTVについては、いろいろ考え方はありますが、結論からいうと「単価」と「頻度」の掛け算で考えるということになります。要は「単価を上げる」か「使

ってもらう頻度を増やす」か、この二つの軸に着目します。「リアル店舗の生き残り策を本気で考えるセミナー」でお話ししたエッセンスをかんたんにご紹介すると、頻度のほうが上げやすいということです。お客さまがどれくらいの頻度でお店を利用してくれているのか、次に来店するまでの期間はどのくらいなのか、年間でみると平均何回来店してくれているのかなど、お客さまのデータを〝見える化〟するのが、ファーストステップとして非常に重要です。リユースの実店舗では、お客さま像や行動データを摑んでいないことが多いので、改善の余地は非常に多くあります。

◆お客さまの、意味のあるデータを〝見える化〟し利用する

たとえば、一度買い取りにもってきてくれたお客さまが、次に来店するまでの期間が平均60日のリユース企業があったとします。そういうデータが見えれば、来店から60日前後で、次の来店を促す何かしらのアプローチをかければ、来店促進がより一層図れるのではないか。つまり、頻度を上げるというのは、適切なメッセージを、適切なチャンネルに、適切なタイミングで打つことによって実現できるわけです。

適切なチャンネルというのは、たとえばブランドしか興味がないリッチマンの人に、ホビーのおすすめの情報を流してしまうといった的はずれなアプローチをしないということです。総合リサイクルの場合は、さまざまな商材を扱っているので、逆にカテゴリーごとに適切なユーザーに適切なアプローチを打っていけるかどうか。それがチャンネルの意味するところで、かなり大事になってきます。

どういう情報を見えるようにしたらいいのか。それが見えたら、どういうアプローチをしたらお客さまの単価が上がっていくのか。単にデータを取るのではなく、意味のあるデータを取りにいって、きちんと利用するということが戦略として必要になってきます。

◆リアル店舗をもつ企業の方がウェブ戦略は有利

私たちはどちらかというとリアル店舗をもってい

る企業がクライアントに多く、リアル店舗の目線が強い企業です。リユースの業界でいちばんウェブに強いウリドキさんと、これからリアル店舗がどうすればウェブからの集客を増やせるのかを考えていきたいと思います。リアル店舗をもっている会社と、宅配買い取りなど非店舗型の会社がありますが、リアル店舗をもつ企業のホームページには実は意外とアクセスがあります。そしてリアル店舗をもっている企業は、今、SEOが有利です。ウェブだけの企業よりも実店舗をもっている企業の方が、実は、ウェブ戦略は非常に有利なのです。

そういう側面で、データの〝見える化〟がまた役立ってくるのではないかと思います。

◆リユースショップの非対面取り引きをサポートする三つのサービス

新型コロナウィルス禍にある今、非対面による取り引きに新たなニーズがあると考えています。そこを支援する三つのサービスをリリースしました。

（1）「ビデオ査定システム」

HP上にチャットボタンを表示、ユーザーはスタッフとコミュニケーションを図りながら査定依頼を行うことができます。店舗側からは、家の状況などもヒアリングできる機会が生まれ、当初査定依頼した商品以外の査定にも結びつけやすく、成約率の向上と単価アップが見込める仕組みになっています。またこのサービスのロゴ等を自社のロゴに置き換えることも可能なので、自社サービスとして提供できるところもメリットになるのではないかと考えています。

（2）「宅配買取システム」

専用フォームよりお客さまが宅配買い取り依頼をされると、その依頼データがReCORE上に反映されます。この申込みフォームも各社でカスタマイズが可能な仕様になっています。商品データが反映されると、ヤマト運輸と連携し送付用段ボールを届ける仕組みです。店舗スタッフの手を煩わせずに自動で梱包資材を送付することで、買い取り企業の負担を減らすことができます。

商品の査定、見積もりの送付、買い取りまでを、ReCOREでワンストップ管理することが可能になります。

宅配買い取りと郵送買い取りのキーワード検索数は従来の1・8倍となっており、高まる非対面取り引きのニーズに応えていくサービスとなっています。

（3）「ササゲ代行&越境EC販売代行システム」

withコロナ時代は、これまで店舗販売の比重が多かったリユースショップの、EC販売の比率を上げていく必要があります。しかし、なかなか今のスタッフのリソースで出品業務には手が回らないというケースが多いです。そこで、ReCOREの提携商品センターが代わりに、商品画像の撮影・採寸・原稿作成を代行します。コストもReCOREというプラットフォームで仕組みを統一することで、圧倒的な低価格を実現しています。このサービスにより、リユースショップのEC化率向上と在庫回転率向上に貢献します。さらに、これまで日本国内のECモールにしか出していなかった企業も、ReCOREを通じてEC出品をすると、かんたんに世界最大のオークションサービス、イーベイに出品することが可能です。自社のアカウントをもっていなくても、イーベイの公認コンサルタントのアカウントに委託販売することができ、いきなり評価がしっかり定まったアカウントで、越境ECの販売にチャレンジが可能です。

こうしたReCORE POSと連動した、売り買い両面での非対面サービスの機能を提供することで、リユースショップの売り上げアップと業務の効率化を実現し、幅広いリユース企業に使ってもらいたいと考えています。

Company 06

レディオブック株式会社

RADIOBOOK

代表取締役社長
板垣雄吾さん

フェラーリと提携。やりたくないことをやらない"やりやら"カンパニー

スマートフォンにまつわるすべてを引き受けます

◆やりたくないこと、やるべきことじゃないものをなくしていく

レディオブックのメイン事業は携帯、スマートフォンの買い取り、販売、修理です。今、会社は7期目なんですけれども、会社のビジョンというか理念として掲げていることは「世界中のやりたくないこと、やるべきことじゃないものをなくしていく」ということです。

『やりたくないことはやらなくていい』（幻冬舎）という本で、〝やりたくないこと〟に気づいて、やりたいことだけにフォーカスしていく視点について触れています。

スマートフォンは、計算上、一人1台、あるいは1・5台ほどもっている状況です。それほど欠かせないアイテムになっているにもかかわらず、アフターフォローはまったく進化していない。未だキャリアのショップに行って1〜2時間待たされて修理したり機種変したりという状況です。こういう無駄な時間をなくしていくサービスをつくっていきたいという思いから、

リユース、リサイクル、リペアを一体化したサービスを行っています。

つまり、ひとことでいうと、スマートフォンにまつわるめんどうくさい、わずらわしいことをすべて引き受けますということです。

◆iPhone 修理でフランチャイズ展開

もともとは iPhone の修理を7年前にフランチャイズ展開したのが最初です。TSUTAYA店内に出店させていただいたり、全国30店舗ほど展開しました。3～4年前でしょうか、直営店では月800万円以上、修理だけで売り上げる店舗もありました。
今はもう通常店舗はありません。渋谷に残っている店舗には、レディオブックの事務所が入っています。それと弊社が運営するオンラインサロンのサブスクリプションとして修理無料を謳ってるんですね。そのサロンメンバー向けのサービスとして修理をやらせていただいたりはしています。なので、一般の方向けのサービスはこの3年間ほとんどやっていません。

◆フランチャイズをやめた理由

一つはスマホの修理に関する法律が変わったこと。総務省が登録修理業者制度というものをつくったんです。かんたんにいうと、許可制になったんですね。その時点で、まずは制度を理解してからと思って、いったんフランチャイズをやめました。

それから私自身、その頃まだ店舗に立つこともあったんですけど、運営に疲れてしまったんです。まだ起業3年目の頃でしたので、「やりたくないことはやらなくてもいい」という、今のビジョンにたどり着けてなくて、なんやかんやいって自分が何でもかんでもやらなきゃいけない状況だった。そういうフランチャイズの店舗運営がものすごくめんどうくさくなってしまったというのがあります。フランチャイズ店に対するスーパーバイザー的な役割や直営店舗の運営。店舗マネージメントですよね、人とかモノとかの。アルバイトによる横領もありまして、こういう仕事はしたくないなと思い始めてしまったんです。

こういう状況で、新しい法律を学んで店舗運営を進めていくのも違うかなと思って、手を引くことにしたんです。

◆登録修理業者制度のモヤモヤ感

登録修理業者制度に則って業者として許可を受けるには、100万円以上の費用がかかります。しかも、これ1端末あたりにかかる費用なんです。

iPhone 7、8、8プラス、10、10s、10sプラス、Androidもやろうと思ったら、すべて1機種ごとに資格を取らないといけない仕組みなんです。

さらに、この資格をもたずに修理したとしても、違法にはならないというんです。あるいは、フランチャイズの運営元が資格を有していれば、各フランチャイズ店も資格ありと見做されるのか。いやいや、店舗ごとに資格を取らなければいけないのか。当時ははっきりしていませんでした。

こんなモヤモヤとした中途半端な状況のままフランチャイズは広げられないと思いました。

◆B2Bのビジネスに切り替えていく

その頃、B2Bの領域でけっこう要望をいただくようになっていました。たとえば、スマートフォンを会社で欲しい、iPadが欲しいとか。逆に会社で余ってしまった、あるいは壊れたスマートフォンを買い取ってほしいという話ですね。そういう声を結構いただいていたので、いったんコンシューマー向けサービスを全部やめて、B2Bに切り替えていこうと決心しました。会社4期目のことです。

◆最初は断ったフェラーリとのスポンサーシップ

フェラーリとパートナーを組んだのが2020年3月末です。最初にこの話があったのが、2019年8月くらいですね。最初はF1のスポンサーにならないかということでした。日本の若い企業で勢いがあってデザイン性のある会社を探しているという話がたまたま来たんですね。ここ20年くらい日本のスポンサーがいなかったらしいです。

向こうからアクションがあったので、一席設けさせていただきました。その席で、クルマに興味はなし、スポンサーになることにも興味はないのでお断りしました。

フェラーリのイメージは、小金持ちが自己顕示欲を出せるアイテムくらいにしか思っていなかったので。「こんなとこのスポンサーになったら、金ふんだくられて終わりじゃないか」、そう思っていました。

◆ブランド力をアップするパートナーシップ

リユースの世界、信用と信頼の両方がないと買い取れませんよね。でもそのために、自社でブランド価値を上げていこうとすると相当コストがかかる。そういう思いが頭の片隅にずっと会社の問題点、課題としてあったんです。そんな中で、フェラーリの話が別軸から来たときに、よく考えてみたらフェラーリってクルマに興味がない私でも知っているくらいに有名な世界的なブランドです。ここと組めるのなら、もしかすると信頼と信用を両方得ることができるんじゃないかという考えが頭をよぎりました。

それで、「スポンサーは面白くないけど、業務提携はできませんか」とエージェントに話を振ったら、「それはちょっと面白い。ちなみにどんなアイデアがあるんだ?」というクイックレスポンスが返ってきた。

石川県に「エアロコンセプト」という、航空機の廃材を使ってハンドメイドでプロダクトを製作している会社があります。そこから着想を得て、フェラーリの廃材を使って何かプロダクトをつくれないかなと考えたんです。リプロダクト商品を一緒につくったりできませんかという企画をまとめてプレゼンしたら、それが通った。

フェラーリはニューヨーク市場に上場している企業です。上場企業ですから社会的な意義を重視する。サステナビリティという意味で、リサイクル、リユースという側面に共感していただいたわけです。

◆若い企業が求められた理由

フェラーリの創業者、エンツォ・フェラーリが掲げた企業理念の一つに、会社の効率性より一人ひとりがスーパーマンであるべきだということが謳われています。それから、やりたくないことは絶対やらない。何をやるかより何をやらないかを優先するともいっている。

フェラーリの企業理念は、F1で勝ち続けることです。それがメインだから、街を走っているスポーツカーのフェラーリとは会社が違います。F1をやっているのはスクーデリア・フェラーリ。スポーツカーを開発・販売しているのはフェラーリで、同じグループですが別の法人です。私たちはスクーデリア・フェラーリと直接契約しています。

スクーデリア・フェラーリはF1での勝利しか追求していない。それ以外はやらない。おそらく目的に対して邁進できるような企業文化の会社でないとフェラーリ側も付き合いたくないはずです。だから日本の大手企業には興味がなかったと思います。

◆海外展開のために必要だったフェラーリブランド

フェラーリより安くて、機能性が良くて、燃費がいいクルマは、たくさんあります。じゃあなぜ家族では乗れない、燃費も悪い、メンテナンスにもお金がかかる、そんなクルマを何千万円も払って購入する人がいるんでしょうか。しかも「欲しい」といっても買えないんです。フェラーリが売る相手を決めているんです。

それでも速さだけを追求しているクルマを世界中のみんなが欲しがる。ブランドとしては世界一といってもいいくらい力がある。こういう企業と日本で初めて組める希少性はありますよね。フェラーリと組んでいる日本企業というところを一つの武器として、これから海外で信頼と信用を勝ち取っていければ早いなと思ったわけです。

ヨーロッパでは、リユースの文化はまだまだな中で、うちはリユースの後発組です。勝ち残っていくとしたら海外の開拓を当然視野に入れていかなければいけない。そのときに、フェラーリと組んでいるレディオブックという認識をしてもらえれば、スマホの売買・修理はここだと思ってもらえる可能性が高まるはずです。

フェラーリ関連企業もヨーロッパにたくさんある

ので、そういったところにも話がしやすい。実際、まだ日本企業が入り込めていない分野で何社かと話を進めています。そこでスマートフォンやタブレットの買い取りが、実際もう始まってきています。そういう意味では、ブランド価値というか、信用のおすそ分けはいただいている感じです。

◆新型コロナウイルス禍で約8倍に伸びた売り上げ

相当リモートワークに切り替わりましたよね。それを支援するテレワーク助成金がある。国がスマホやタブレット、PCの購入に際して助成しているわけです。そういう環境で、今までリモートワークに対応していなかった会社さんからバッと発注があったり、今までガラケーで良かったけどZoomに対応するためにスマホ、タブレットを購入したりとか。1カ月で8倍くらいの売り上げを記録しました。新型コロナウイルス禍のさまざまな出来事とフェラーリとの提携発表がうまくハマった感じですね。

◆リユース企業がリブランドの付加価値をつける

リユース企業は、これまでは、一次流通のメーカーブランドをそのまま、ある意味借りてきた。そうではなくて、そこに対して自分たちの守備範囲の中で付加価値をつけていくということがこれから重要になってくると思っています。

レディオブックでは、中古の携帯を購入していただいたときに、オリジナルの箱に入れてお渡しする。適当にビニール袋に入れてポンと渡すなんてことはしません。1つ3万～4万円、高いと10万円もするわけで、そんな安い買い物ではありませんからね。

意味のある、選んでもらえるブランドを目指すとなったら、箱一つとっても、体験として「この箱いいな、この箱でもらいたい」と思ってもらえるように考えています。

◆ブランディング戦略で勝ち残る

箱一つでも丁寧に考えて、プロダクトから接客から、すべてをセットで構築することで、「ここに売りたい、ここで買いたい、ここで修理してもらいたい」と思ってもらえるブランドづくりができると思っています。

目利きが必要なブランド品などと違って、スマホのリユースは参入障壁がそもそもそんなに高くない。資本力があるところが「どこよりも安く売りますよ、どこよりも高く買い取りますよ」と本気を出したら、それには勝てない。

だからこそ、有象無象の中に埋没してしまわないように、しっかりサービスの中身は固めた上で、「ここに売りたい、ここで買いたい、ここで修理してもらいたい」と思ってもらえるブランドづくり、これをしっかりやっていきたいと思います。

◆売る・買う・修理するのリーディングカンパニー

もしかしたら自分の体より触っているかもしれないスマートフォンや情報端末機器の、売る・買う・修理するのリーディングカンパニーというのは、ユーザー層にまで知れ渡っている企業としてはまだないと思うんです。

チャンピオンベルトがまだ空いている状態だとすれば、うちはそこを、おこがましいですけど狙っていきたいと思っています。

ハンバーガーといったらマクドナルド、コンビニエンスストアといったらセブン‐イレブン、そういう「これといったらなに」というポジションを獲得するために頑張ります。

Company 07

株式会社ワサビ

WASABI

代表取締役社長
大久保裕史さん

開発の難しいシステムこそ、世界を変えられる

独自の自社システムを提供し、リユースの越境を支える

◆クラウドシステムをブランド企業60社が利用する

うちは基本的に、海外とECとリユースに特化したクラウドの在庫連動システム、いわゆる「SaaS (Software as a Service) ／サーズ」を提供しています。あとはアプリを使ってかんたんに出品できる仕組みを提供したりしています。何千億円規模の大企業から小さい質屋さんまで、クライアントはさまざまです。

海外販売を基本に考えており、ボタン一つ押せば中国語や英語に言語変換されるシステムになっていて使いやすいものになっていると思います。

さらに型番識別も搭載しています。今のところ写真でルイ・ヴィトンの何々であるということまでわかりますが、真贋判定はもう少し先になるかなと思っています。

アメリカにPoshmarkというメルカリみたいなC2Cサービスがあるんですが、その責任者にいわせれば、偽物なんて出回らないと。なぜなら、アプリで自分のSNSとクレジットカードを登録し、電話番号を登録

した上で、できる取り引きは500ドル以下。500ドルを超える取り引きは本部経由になる、そういうフローだと、500ドル以下で自分のSNS、クレジットカード、電話番号を傷つける人なんていないということなんですね。フェアなC2Cっていうか、C2B2Cになっているわけです。こういうコントロールの仕方も大いにありだなと。

◆属人性を超えるシステムを

前職は古着屋でした。1日600点くらい動かしていたので、もう作業がすごくて。なので、画像処理をしなくてよくするような環境改善をしたり、いろいろやっていました。

その後、独立して、売り上げに連動する契約でコンサルをしたんですけれども、売り上げが上がってても訪問していないと「大久保さん、最近来てくれませんね」などといわれるので、自分の代わりに働くものをつくろうと思いまして。それがシステム開発に向かった理由ですかね。

なので、うちのシステムはクライアント企業と連絡をとりながらサポートもするので、どちらかというと、システムというより第三の立ち位置で、いわばお抱えのエンジニアとパートナーみたいな関係に近いサービスになっています。

◆現場がわからなければシステムはつくれない

独立してからだと8年目なんですが、最初につくったシステムは大規模データに耐えられなくて諦めているんです。二つ目のシステムを開発してからは5~6年になりますかね。

最初のシステムは結局、今思えば、最終のところまで想像してシステムをつくれていなかった。モールさんによってそれぞれ仕様変更がめちゃめちゃあるんです。システムはつくって終わりというわけじゃないので。決済が変更になるとか、小さな仕様が変わるとか、その都度変更が必要になって、コストもかさみます。終わりがないんです。現場がわかって指示できる人がいないと難しいですね。

◆理想を追うことを理解してくれるエンジニアの存在

ワサビが成功できたのは、私自身がリユースを理解しているということと、本当にいいエンジニアとの出会いがあったからです。私は、「これができたら面白くない？」とけっこう無理な要望を出します。それを理解してくれるエンジニアがいてくれた。

たとえば、英語ができるスタッフがいなくても、ボタン一つでアマゾン、イーベイ、ショッピーにも出品できるシステムって、提供できているところはおそらくないと思うんですね。そういう難しいけどできたらすごいと思うものを、エンジニアに投げかけてみる。最初は「ちょっと難しいです」というレスポンスが返ってくるわけですが、しばらくしてからあえて「どうなった？」と聞いてみる。さらにもう一呼吸おいてから「あれって進んでるの？」と声をかけてみる。すると、「もうこの人本気やな」とエンジニアも思ってくれる。考え方としてはかんたんなシステムがいいとは思っていません。むしろ「難しいからいいやん」って思っていて。参入障壁がグッと上がりますから。なので、モールさんとの繋がりもそうだし、業界での繋がりもそうだし、システムも難しければ難しいほど、個人的にはいいなと思ってやっています。

◆ストックスイッチも徐々に出来上がっていった

今回の、誰でもどこでも在庫&倉庫管理ができるスマホアプリ「ストックスイッチ」の開発は、今までまったく存在しないものを開発するわけですよね。仕組みとしてはＷＭＳ（Warehouse Management System）という倉庫管理システムなんですけど、スマホででき て、そして「ささげ（撮影・採寸・原稿）」もできて、海外にも送れるといいんじゃないかと。そういうものはないですし、画面を考えながらつくります。最初から、思った通りのものにはたどり着けないです、なかなかね。

まずは、設計というよりは手書きのものであったりとか、エクセルで全体をつくっていったりするんですが、途中でデザイン担当が来て、「あ、このデザイン、いけてないです」とやり直しさせられるとか。とにかく見たことがないものをつくるわけなので、最初から仕様をがっちり決められない。とにかく、全部の機能をスマホで完結できるようにしよう、そこに落とし込もうということを決めて、徐々につくり込んでいくわけです。

大きなシステムをコンパクトに格納するというのは、非常に難しい仕事です。しかし、そういう難しさもひっくるめて楽しいなと思っています。これができたら現場が変わりますし。なので、もう1段階、私たちのビジネスの幅を広げていけるというのが、やっていて本当に楽しいですよね。

◆勝ち残るリユース企業とは

完全に店舗だけの会社というのはちょっと厳しいかもしれませんね。デジタルシフトはマストではないでしょうか。その上で、ただのECというよりは、きっちりモノに価値をつけていることが大切。リペアもそうだし、真贋判定をきちんとして売るのもそうだし、海外で売るのもそうだと思います。

要するにユニークなチャネルをきっちりもっているリユース企業が残っていくのではないかと思っています。業務効率の面でC2Cより勝てるような会社であるとか。

他の企業がやりたがらないところで汗をかいて、付加価値をつけて売る会社が生き残るといえるかもしれません。右から左へモノを流しているだけじゃダメだということですね。価格以外で勝負できる何かをもっていないと。結局、専門性が光るリユース企業が勝ち上がっていくということになるだろうと思います。

◆越境ECをやるメリットとは

越境ECをやる意味は、いくつかあると思います。一つは、欲しいモノが国によって異なるし、それによって値づけも変わってくる。そこに旨みを見つける。あるいは季節が異なることで、特定の季節にしか売れないモノがそれ以外の時期でも動くようになる。送料で儲ける場合もありますし、いろいろですね。

今は、新型コロナウイルスの影響ということかもしれませんが、越境ECとしては時計が爆発的に売れました。それから、EMS（国際スピード郵便）が新型コロナウイルス禍で止まりましたから、DHL、Fedexに元からチャネルをもっていた企業は、周りが止まった分、非常に伸びた印象がありますね。

◆これからのリユース業界について

今後は、もっと中古市場が大事になっていくんだろうと考えています。感覚的にいうと日本だけじゃリユースは完結できないので、日本から海外にどんどん出ていくしかないと思います。

中国にリユース関連企業で視察に行ってもらいたいです。ブランド品だけで、中国は日本の10倍くらい市場規模があると思うんです。

でも実際のところ中国国内で買われているのはせいぜい10〜20％。真贋もちゃんとしていないから、けっこう安く買えるんです。なので、日本企業が中国国内で売るチャンスをつくれれば、ものすごい可能性のある話だと思いますね。

中国では、フリマのような感じでたくさんの人が集ってブランド品を売っています。買う場をライブ中継しながら売っているとか。そこにはこれからの可能性を非常に感じるし、まだそんな大きなプレイヤーがいないんですよね。

ただ日本企業が買うことができても、今度は売り場に困ると思うんですよ。そこで私たちがタオバオ（淘宝）やジンドン（京东）などと繋がって、売り場をつくっておけばいいのではないかと思っています。

今、システムも海外で使うことを前提でつくっているので、日本の企業を世界中に連れていってリユースをどんどんまわしていきたいと考えているのと、海外企業にも使ってもらえるようなシステムもつくっていこうと思っています。

◆リユースガイドラインの必要性

C2Cが伸びてきている現在、C2CとC2Bとの差をちゃんとつけたいなと思っています。そのために、リユース企業が統一して守るべきコンディションガイドラインと、アイテムごとの必要スペックを基準化したいと思っています。一度、経済産業省に行って「JIS規格のような規格をつくりたい」という話をしたところ、とりあえず業界基準をつくってくださいという返答だったので、まずはそこを目指して動きたいと思っています。

これができればお客さまも買い物がしやすくなるし、安全性の担保という面では、モノの状態の良し悪しに不安をもっているユーザーが、実は思っている以上に多いんです。そうした中で、海外に打って出るときに、日本スタンダードをもって出ていけるようになれば、大きいと思います。

◆リユース仲間が集まる場

タオバオ（中国）とイーベイ（アメリカ）、ショッピー（東南アジア）など、地理的にかぶらない企業に声をかけています。日本からは楽天とかヤフオク！などに依頼しながら、いろんな販売チャネルのネットワーク化やデジタルシフトをしていく場になったらいいなと思っています。

それとは別なんですが、リユースの仲間がオンラインで集える場「Reuser's Cafe」というものをつくっていて、もっと気軽に情報交換できたらなと思っています。とにかく、これからのリユースの未来を私たちがつくっていかなくてはいけないと考えていまして、リユースサミットがその起爆剤になっていってくれればいいと思います。

株式会社リフォーム産業新聞社（亀岡大郎取材班グループ）

リサイクル通信
The Reuse Business Journal

知の集約媒体としてのリユース専門紙

リサイクル通信取締役
瀬川淳司さん

リユース・テック・カンファレンスで、リユース業界を盛り上げる

◆リサイクル通信について

リサイクル通信は、中古品の売買、二次流通やリユース、そういう業界向けの専門新聞です。私はその新聞の責任者という形で、取材活動ももちろんしているんですけど、企画立案なども含め、業務全般に関わっています。

セミナーの類は、一番古いものだと15年ほど前からになりますかね。他の事業部に当たるリフォーム産業新聞が行った展示会に間借りをして、セミナーとオークションをやったことがあります。

昨年（２０１９年）10月に港区新橋のＡＰ新橋５Ｆでリユース・テック・カンファレンス（Reuse × Tech Conference）を開催し、５００人弱ほどご来場いただきました。

当社独自で行ったイベントですが、大変盛り上がりました。

◆リユース・テック・カンファレンスを始めた理由

昔セミナーをやっていたこともあり、ずっとやりたいとは考えていました。リサイクル通信という紙媒体での情報発信だけではなく、セミナーなどは直接やりとりができるものとして、また違う情報発信の方法だと考えていまして、常にやりたいとは思っていました。ですが、なかなか手間もかかるし、労力もかかる。なかなかやれなかったというのが本当のところです。

ではなんで昨年、リユース・テック・カンファレンスという形で始めたかというと、一つはリユースのマーケットが大きな転換期に入っているということがあります。そういう中で新聞だけの情報発信でいいのか、そこに自分としても疑問はあって。やはり幅広く情報が集約される新聞社であるうちこそが、セミナーといった形式で情報発信をするべきではないかと考えたのです。

さらに「テック」と名づけたのは、これからリユース企業の進化の方向性というものを考えたときに、課題として大きくテクノロジーの活用があげられると分析したからです。そこをもっと盛り上げていかないとリユース企業は進化していけないんじゃないか、そういう思いがあって「テック」の名を冠しています。

◆好評だったリユース・テック・カンファレンス

実際やってみると、聴講していただいた方からとても良かったという感想をいただけたので、やはりやって良かったなと思います。いろいろなサービスなどで出展していただいた企業の方からもすごく良かった、ぜひ来年もまたやってもらいたいといったご意見をいただいたので、そういう意味では継続してやっていきたいと思っています。

◆オンライン開催! リユース・テック・カンファレンス2020

本年(2020年)は10月20・21日の2日間で開催しました。テーマは「テクノロジーの力でリアル店をアップデートしよう!」。新型コロナウイルスの影響もあり、オンラインでの開催となりました。

オンラインで開催する場合、どういうやり方ができるのか、4月から6月にかけて考えまして、なんとか面白いやり方ができるんじゃないかというめどがたったので、オンラインでやろうということになりました。

オンライン開催となると、遠方の方、店舗勤務の方など、なかなか会場にお越しいただいてセミナーを受講することなどができなかった方々に、気軽にご参加いただくことができるのが最大のメリットでした。「この講座だけ聞きたい」といったこともかんたんにできます。2019年のリアル開催の際は、やはり「ちょっと東京は遠くて行けない」といわれた方もいらっしゃったので、そういう方なんかは今年はオンラインで参加しやすくなったと思います。

もう一つは、2日開催のオンラインにしたことによって、講座数が増えました。このへんも聴講者の方にとっては大きなメリットになったことでしょう。

◆オンライン開催の難しさ

一方、会場の熱量だったり、現場にいないとわからない空気感みたいなものだったりが、なかなかオンラインでは伝わりにくい。


会場にいれば、その後、講師の方や出展者の方、知り合いの方とかと気軽に話したり情報交換しやすかったり、そういう面がリアル開催の良さですね。その点を補うべくオンラインの場合も、チャットなどでやりとりができるようにしました。

それから、オンラインだと通信環境に左右されてしまう部分があるので、主催者側としてはちゃんとした通信環境でお届けできるのか。聴講者のほうでも、自宅ないしは職場の通信環境に左右されてしまうので、その辺がきちんと主催者側として提供できるのかというところが心配でしたが、大きなトラブルはありませんでした。

◆率先してデジタルシフトしていく

リユースの業界でも、緊急事態宣言でオークションができない中で、ネットオークションに切り替えるような会社も出てきていたり、いろいろなお店が営業できない中で、ECだったり、今までできていないことにチャレンジしている企業がある中で、リサイクル通信がそれをやらないっていうのも、これはまずいかなっていうのもあって。率先してデジタルシフトしていく姿勢を見せるためにも、オンライン開催にチャレンジはするべきだろうと思っていました。

この新型コロナウイルス禍でいちばん影響を受けている部分が、デジタルシフトの部分だろうと思います。進んでいる会社と進んでいない会社の差が大きく出る。そういう意味ではテクノロジーの活用をもっとやらなきゃいけない。

◆新しい取り組み

今回は、現場の方でも聴いていただいて参考になるようなパネルセッションなども企画しました。たとえば、最近増えているビデオ通話査定のやり方とその課題とか。そういう側面についてディスカッションも行いました。

バイヤーさんのパネルセッションも開催。これは経営者の方からバイヤーさん、現場のスタッフの方にも聴いていただき、とても参考になったようで企画して良かったと思っています。

◆リユース・テックの見どころ

リユース企業にとって、とても役立つテクノロジー関係のサービス企業が一堂に集まる、年に一度の機会だという点がまずあります。他の展示会などに、そういう企業が出ていることは基本的にはないので、これはリユース・テックならではのいちばんの見どころです。

今回は、リアル店のテクノロジー活用をもっと盛り上げていこう、ということをメインテーマに掲げました。講師の方もリアル店を展開しているリユース企業の方を中心にご登壇いただきました。たとえば、ブックオフの堀内康隆社長、ソフマップの渡辺武志社長、ドンドンアップの岡本昭史社長など、リアル店舗関係で活躍されている、この業界のトップリーダーの方々の講演が見どころでした。

先ほども申し上げましたが、現場の方、バイヤーの方などにも参考になるようなセミナーとして、ビデオ通話査定、バイヤーさんによる接客をテーマにしたパネルディスカッションも行いました。10月20日に行った「非接触で対面接客、コロナで注目集める『ビデオ通話査定』の課題と可能性を考える」、10月21日のトップバイヤーパネルセッション「これからの買い取りで求められる接客術とは?」がそうです。

2019年に比べると、経営者、経営幹部の方だけではなく、現場の方、バイヤーの方、そういう幅広い方に有意義なコンテンツを用意できたのではないかと考えています。

おわりに

リユースの未来は、信頼性の構築と海外展開にしかないと思っている。

信頼を勝ち取るというのは、どんなビジネスでも大事なことだ。ここで伝えたいのは、その信頼性の内容が、リユースの世界では変容してきているということだ。そこに対応し、ユーザーから信頼を獲得し続けるリユース企業だけが勝ち残っていくだろうということである。

グーグルの検索結果から明らかになってきていることがある。以前は、どういう商品が売れるのか、どのくらいの価格で買い取っているのか、そうした情報が豊富であればあるほど、検索結果の上位に表示されていた。つまり商品情報の豊富さがキーだった。

しかし、現在はそうではない。

価格や売れ筋の商品情報は、メルカリやウリドキの登場で、もはや自明のこととなっているのだ。ユーザーは、モノの相場観を容易に知ることができる。

今、大事なのはリユース企業やショップの情報である。どんな専門性をもった人が買い取ってくれるのか。過去に買い取りのトラブルを起こしてはいないか。相場観を得ているユーザーは、気持ち良く安心して取り引きができることを望んでいる。

この部分で、リユース企業は、しっかりと信頼と実績を積み上げなければいけない。

もう一つ大事なことは、海外の市場を相手にすることだ。国内でもまだまだ掘り起こしは重要だが、これまで見てきたように、海外市場は圧倒的に大きく、しかも日本のリユース品は高く売れる。そこでリユース企業としては、海外で勝負していくことが求められていくだろう。ただ、それだけではいけない。かつて地域で商売をしていた古本のリユースショップがネット展開するプロセスの中で、古本を買い戻す術を失って行き詰まったことを思い出さなければいけない。

日本の商材を海外で売りさばくだけでは、日本から一方通行的にモノが流出していくだけになってしまう。

オペレーションも含めた日本のリユース文化をまるごと海外に展開して、海外を巻き込んだ形でのリユースの循環をつくり上げていくことが必要だと思っている。

「すべての道はローマに通ず」

17世紀、フランスの詩人ラ・フォンティーヌが残した言葉で、どのような道をたどろうと真理にたどり着くといった意味のことわざである。

この言葉を私が使わせてもらうならば、

「すべてのモノはリユースに通ず」

である。一度生産されたモノはどのような経路を経たとしても、いずれはリユース（二次流通）にたどり着くのだ。

その世界が現実となったとき、それはリユース革命が起こったということになるだろう。

それは、あなたが「売りたい」と思ったときに売れるプラットフォームが、当たり前に存在している世界だ。あなたが売れば、世界はもっと良くなる。その「売りたい」を逃してはいけない。

「すべてのモノにはウリドキがある」

のだから。

謝辞

本書の出版にあたって、幻冬舎の福島広司取締役、木田明理さん、片野貴司さん、そして編集協力していただいた編集企画シーエーティーの中村実さん、髙山広告編集所の髙山伸夫さんには大変お世話になりました。的確なアドバイスをいただきました。

ラクサス・テクノロジーズ 児玉昇司社長、イオシス 中本直樹社長、ものばんく 吉田悟社長、ベクトル 村川智博社長、ＮＯＶＡＳＴＯ 佐藤秀平社長、レディオブック 板垣雄吾社長、ワサビ 大久保裕史社長、リサイクル通信 瀬川淳司取締役には、リユースチャンネルでの対談および、本書へのご掲載を快く引き受けてくださり感謝いたします。また、日ごろからお世話になっているリユース関係者の方々にも深く感謝いたします。

最後に、本書の執筆を応援してくれた家族と、本書にもたびたび登場してくれた父、そして天国の母にこの場を借りて感謝いたします。ありがとうございました。

木暮康雄
（こぐれ やすお）

ウリドキ株式会社代表取締役。1981年、東京都生まれ。
慶應義塾大学大学院システムデザイン・マネジメント研究科（SDM）修士課程修了。
2005年に学生起業し、06年に漫画の全巻大人買いサービス
「全巻読破ドットコム」を立ち上げる。
14年に事業譲渡を行い、同年、C to Bの買い取りプラットフォーム「ウリドキ」などのサービスを
提供するウリドキ株式会社を設立、代表取締役に就任。
16年にInfinity Ventures Summit Launch Pad ファイナリスト選出、
フジサンケイビジネスアイ革新ビジネスアワード最優秀賞受賞。
また、慶應SDMにて起業家行動研究を行い国際学会で発表、ジャーナル論文誌に掲載。
「Forbes JAPAN」オフィシャルコラムニストとしても執筆中。

ウリドキ HP https://uridoki.net/
ウリドキプラス HP https://uridoki.net/news/
Twitter @kogurey95

リユース革命

「使わない」モノは「今すぐ」売りなさい

2020年12月15日　第1刷発行

著　者　木暮康雄
発行人　見城 徹
編集人　福島広司
編集者　片野貴司

発行所　株式会社 幻冬舎
〒151-0051　東京都渋谷区千駄ヶ谷4-9-7

電話　03(5411)6211(編集)
03(5411)6222(営業)
振替　00120-8-767643
印刷・製本所　中央精版印刷株式会社

検印廃止

ISBN978-4-344-03724-3　C0095
幻冬舎ホームページアドレス　https://www.gentosha.co.jp/

この本に関するご意見・ご感想をメールでお寄せいただく場合は、
comment@gentosha.co.jpまで。